Cuentos breves
para seguir leyendo en el bus

Alexander Afanasiev, Leonid Andréiev, Ambrose Bierce, Antón Chéjov, Kate Chopin, Stephen Crane, Rubén Darío, Franz Kafka, Baldomero Lillo, Jack London, Joaquim Maria Machado de Assis, Katherine Mansfield, Guy de Maupassant, O. Henry, Edgar Allan Poe, Saki, Marcel Schwob, Henryk Sienkiewicz, Frank R. Stockton y Mark Twain

Cuentos breves para seguir leyendo en el bus

Traducción de Luz Freire

Selección, prólogo y noticias biográficas de

Maximiliano Tomas

verticales de bolsillo literatura

Bogotá, Barcelona, Buenos Aires, Caracas, Guatemala, Lima, México, Panamá, Quito, San José, San Juan, San Salvador, Santiago de Chile, Santo Domingo

verticales de bolsillo es un sello editorial
del Grupo Editorial Norma para América Latina
y sus filiales Belacqva y Granica para España.

© Edición original, 2006, Grupo Editorial Norma, Buenos Aires
© Por la traducción, Luz Freire
© 2008, de la presente edición en castellano para todo el mundo
Editorial Norma
Avenida El Dorado # 90-10, Bogotá, Colombia para
verticales de bolsillo
www.librerianorma.com

febrero de 2009

Diseño de la colección: Compañía
cubierta: © Ferdinando Scianna / Magnum / Contacto
Armada eléctrónica: Blanca Villalba P.

CC: 26000684
ISBN: 978-958-45-1729-6

Impreso por Nomos Impresores
Impreso en Colombia — *Printed in Colombia*

Este libro se compuso en caracteres Adobe ITC Garamond Light

Contenido

Prólogo

Releo el prólogo que acompañaba la primera parte de esta antología de cuentos que ahora se amplía. No son pocas las cosas que, a más de dos años, enunciaría de otra manera. Son incluso más las que evitaré repetir (lo que hará este prólogo todavía más fiel a la concepción general de la colección: la brevedad). Pero, por otra parte, debo decir que me tranquiliza reconocer allí, en esas líneas, algunas ideas o convicciones que permanecen inalterables hasta hoy.

Creo que la *buena literatura* —lo que cada quien entienda por buena literatura— está más allá de los géneros. Pero, al tratarse esta de una selección dentro de los márgenes de lo que podríamos denominar «narrativa breve», se hace necesario poner en evidencia los criterios que han llevado a escoger estos textos —y no otros— del resto de la obra de los autores elegidos. Y marcar, por qué no, las diferencias que existen con aquella primera entrega.

Decía, allá por mediados del 2004, que aquel libro estaba compuesto por las producciones más breves —y, al mismo tiempo, de entre ellas las menos difundidas— de veinte maestros del cuento. Y citaba, quizá como la guía más reconocible que había alentado la selección, un fragmento del ensayo *Filosofía de la composición* de Edgar Allan Poe, donde el escritor —padre del cuento moderno y uno de sus primeros teóricos— se refería a la «unidad de efecto» o «de impresión» de un texto:

> Si una obra literaria es demasiado larga para ser leída de una sola vez, preciso es resignarse a perder el importantísimo efecto que se deriva de la unidad de impresión, ya que si la lectura se hace en dos veces, las actividades mundanas interfieren destruyendo al punto toda totalidad. [...] Lo que llamamos poema extenso es, en realidad, una mera sucesión de poemas breves, vale decir de breves efectos poéticos. [...] Parece evidente, pues, que toda obra literaria se impone un límite preciso en lo que concierne a su extensión: el límite de una sola sesión de lectura. [...] Resulta claro que la brevedad debe hallarse en razón directa de la intensidad del efecto buscado, y esto último con una sola condición: la de que cierto grado de duración es requisito indispensable para conseguir un efecto cualquiera.

La búsqueda, entonces, se había limitado a cuentos breves y buenos, que pudieran leerse en una espera, en un viaje corto: de una sentada. Idea que se mantuvo intacta al encarar este segundo tomo. También siguen siendo idénticas las motivaciones: sostener, como quedó dicho, esa «mínima victoria del principio de placer por sobre el principio de realidad» que significa leer un buen texto —un texto conmovedor, transformador, perturbador— en cualquier momento y en cualquier lugar. Porque lo que entonces denominé, un poco en broma, «lectores en tránsito», siguen constituyendo un fenómeno evidente en nuestra vida cotidiana: esa gran cantidad de gente que elige leer donde puede —en colectivos, trenes, subtes, colas de banco— y como puede —sentados o de pie.

Afortunadamente, muchos son los que pensaron que aquella selección de cuentos fue una buena idea

—opinión que parte de la crítica compartió, entendiendo que era posible poner en circulación una antología con textos de indiscutible calidad bajo un título seductor y en una edición cuidada—, y venían reclamando esta segunda parte. Aquí está.

Para esta entrega se mantuvo la decisión, fundamental, de traducir cada cuento de su idioma original al castellano actual. De aquellos veinte autores del 2004, ocho fueron —para evitar repeticiones y enriquecer la selección— reemplazados. Los nuevos nombres son los de Alexander Afanasiev, Stephen Crane, Baldomero Lillo, Joaquim María Machado de Assis, Marcel Schwob, Henry Sienkiewicz, Frank Stockton y Rubén Darío. El texto de Sienkiewicz, por ejemplo, una pieza tan asombrosa como inusual dentro de su producción literaria, se traduce aquí al español por primera vez en décadas —ya que solo existía una vieja versión del cuento, bastante defectuosa.

Resta esperar que estos cuentos vuelvan a surtir el mismo efecto, y logren transformar nuestras esperas —nuestras vidas— en algo menos rutinario y más ameno y enriquecedor.

MAXIMILIANO TOMAS
Diciembre de 2006

Alexander Afanasiev

La ciencia mágica

Hace mucho, mucho tiempo vivía en una choza un viejo campesino con su mujer y su único hijo. El viejo era muy pobre y quería que el muchacho aprendiera un oficio que fuera su consuelo en ese momento y el sostén de su vejez. Pero ¿qué se puede hacer cuando nada se tiene? El hombre llevó a su hijo por pueblos y aldeas, con la esperanza de encontrar a alguien que lo tomara como aprendiz, pero nadie estaba dispuesto a hacerse cargo del muchacho y enseñarle gratis. El viejo regresó a su choza y lloró con su mujer, lamentando su pobreza. Después de un tiempo, volvió a llevar a su hijo al pueblo. No bien llegaron, se toparon con un desconocido que, al verlos, le preguntó:

—¿Qué sucede, anciano? ¿Por qué estás tan triste?

—¡Cómo no estarlo! —respondió el viejo—. He viajado a todas partes con mi hijo, pero nadie quiere tomarlo como aprendiz ni enseñarle gratis. ¡Y no tengo dinero!

—Bueno, bueno. Déjamelo a mí, entonces —dijo el desconocido—. En tres años le enseñaré todo lo que tiene que saber. Este mismo día, dentro de tres años, a la misma hora, vendrás a buscarlo: pero recuerda que no puedes retrasarte. Si llegas a tiempo y reconoces a tu hijo, podrás llevártelo. Si no, se quedará conmigo.

El viejo se alegró tanto, que no se le ocurrió preguntarle al desconocido quién era, dónde vivía o de qué manera instruiría a su hijo. Le entregó al muchacho, volvió a su casa. Lleno de felicidad, le contó la historia a su mujer.

Pero el desconocido era un hechicero.

Pasaron los tres años. El viejo había olvidado por completo el día, la hora y el lugar en que había entregado como aprendiz a su hijo, y estaba muy preocupado. Pero el muchacho, un día antes de que se cumpliera el plazo, fue a verlo bajo la forma de un ave. Al llegar a la entrada de la choza, dio un golpe en el suelo con la pata y se transformó en un joven bello y apuesto. Entró, saludó a su padre y le dijo:

—Padre mío, mañana se habrán cumplido los tres años de mi aprendizaje: no te demores en venir a buscarme.

Y le explicó el lugar al que debía ir y la forma de reconocerlo:

—No soy el único aprendiz en la casa de mi patrón. Hay otros once jóvenes que están a su servicio y no podrán salir nunca de su casa, pues sus padres no pudieron reconocerlos en el momento debido. Si acaso no pudieras reconocerme tú a mí, tendría que quedarme con él para siempre, como el número doce. Mañana, cuando vengas a buscarme, mi patrón nos hará salir a todos bajo la forma de doce palomas blancas, con el mismo plumaje de la cabeza a la cola. Pero escucha bien: las otras volarán muy alto, menos yo, que por momentos subiré mucho más arriba y superaré a las demás. Entonces, el patrón te preguntará: «¿Reconoces a tu hijo?», y tú señalarás a la paloma que vuela más alto. Después te mostrará doce potros, los doce del mismo pelaje y tamaño, con crines idénticas. Cuando los veas pasar, recuerda una cosa: todos los potros estarán tranquilos, menos yo, que por momentos golpearé el suelo con la pata derecha. Entonces, el patrón te preguntará: «¿Reconoces a tu hijo?», y tú, sin dudar, me señalarás. Y enseguida te mostrará doce bellos jóvenes, todos de la misma altura, con cabellos del mismo color, la misma voz y el mismo rostro, vestidos en forma igual. Cuando los veas, recuerda una cosa: por momentos, una mosca se posará en mi mejilla derecha. Por ese signo me podrás reconocer.

Se despidió de su padre, salió de su hogar y, después de dar un golpe en el suelo con el pie, se volvió a convertir en ave y salió volando hacia la casa de su patrón. A la mañana siguiente, el viejo se levantó y salió a buscar a su hijo. Se encontró con el hechicero.

—¡Viejo! —exclamó el hechicero—. Le enseñé a tu hijo todo lo que debe saber. Ahora, si no lo reconoces, se quedará conmigo para siempre.

Y soltó doce palomas blancas, las doce del mismo plumaje de la cabeza a la cola, que empezaron a volar. Luego dijo:

—¡Reconoce a tu hijo, viejo!

—¿Cómo podré hacerlo? Son todas iguales.

Estuvo observando durante un rato hasta que una de las palomas subió mucho más arriba que las demás. Entonces, señalándola, declaró:

—Creo que ese es mi hijo.

—Lo has reconocido, buen hombre —contestó el hechicero.

Soltó entonces doce potros, los doce del mismo pelaje y de crines idénticas. El viejo se acercó a ellos y los examinó. Y el amo preguntó:

—Bueno, viejo; ¿has reconocido a tu hijo?

—Un momento, un momento, por favor.

En ese momento, uno de los potros golpeó el suelo con la pata derecha. El viejo respondió al instante:

—Creo que este es mi hijo.

—Muy bien, viejo. Lo has reconocido.

Por fin, aparecieron doce jóvenes, de la misma altura, con el mismo color de pelo, la misma voz y el mismo rostro, como si los doce hubieran sido hijos de la misma madre. El viejo se acercó a cada uno, sin darse cuenta de quién era su hijo. Lo hizo una vez más. La tercera vez, notó una mosca en la mejilla de uno de los muchachos, y dijo:

—Estoy seguro de que este es mi hijo.

—Muy bien, viejo. Lo has reconocido. Pero no has sido tú el que ha sabido descubrirlo, pues el astuto ha sido él.

El viejo tomó a su hijo y se dirigieron a su casa. Caminaron durante un tiempo (pero no sé cuánto tardaron: en los cuentos, todo pasa rápido, aunque la realidad sea más lenta). Se encontraron con unos cazadores que iban tras ciervos y gamos, y delante de ellos corría un zorro al que perseguían de cerca.

—Padre —dijo el muchacho—, me transformaré en perro para atrapar a ese zorro; cuando se acerquen los cazadores y quieran llevárselo, tú les dirás: «Señores cazadores, este es mi perro, y a mí me pertenece lo que haya atrapado». Los cazadores te responderán: «Véndenos a tu perro», y te ofrecerán mucho dinero. Véndeles el perro, pero por nada del mundo les entregues el collar ni la correa.

Y de inmediato se transformó en perro, corrió tras el zorro y lo atrapó. Los cazadores se acercaron, muy enojados.

—¡Eh, viejo! ¿Por qué demonios nos privas de nuestra presa?

—Señores cazadores —respondió el viejo—, este es mi perro y él me provee de alimentos.

—¡Véndenoslo!

—Está bien.

—¿Cuánto quieres por él?

—Cien rublos.

Los cazadores no regatearon: le dieron el dinero y fueron por el perro. El viejo comenzó a quitarle el collar y la correa.

—¿Por qué le quitas eso?

—Señores, soy un viajero. Cuando se rompan los cordones de mis zapatos, esta cuerda me será de utilidad.

—Está bien. ¡Llévatela! —le contestaron los cazadores.

Ataron al perro con otra correa y se fueron al galope. Cabalgaron un buen rato. De pronto, vieron a otro zorro y soltaron a los perros, que lo siguieron durante un largo trecho sin poder alcanzarlo. Entonces, uno de los cazadores dijo:

—Amigos, veamos qué tal se porta nuestro perro nuevo.

Y lo soltaron. Pronto lo perdieron de vista: el zorro corría por un lado, pero el perro salió corriendo por el otro. Se reunió con el viejo, y después de dar un golpe en la tierra con la pata, volvió a transformarse en un joven bello y apuesto. Así, el viejo y su hijo continuaron su camino.

Llegaron a la orilla de un lago. Se encontraron con unos cazadores que atrapaban gansos, patos grises y cisnes. Cuando una bandada de gansos voló por encima de ellos, el muchacho le dijo a su padre:

—Padre mío, me transformaré en halcón para atrapar a esos gansos; cuando se acerquen los cazadores, les dirás: «Señores, este es mi halcón y él me provee de alimentos». Los cazadores te pedirán que se lo vendas. Dales el halcón, pero por nada del mundo les entregues las ligaduras que le sujetan las patas.

Y en ese instante se transformó en un intrépido halcón, se elevó por encima de la bandada de los gansos, empezó a agarrarlos y a lanzarlos abajo. El viejo apenas podía juntarlos a todos. Los cazadores, al ver esto, se acercaron al viejo.

—¡Eh, viejo! ¿Por qué demonios nos privas de nuestra presa?

—Señores, este es mi halcón y él me provee de alimentos.

—¿No te gustaría vendernos a tu halcón?

—¡Claro que sí!

—¿Cuánto quieres por él?

—Doscientos rublos.

Los cazadores le dieron el dinero y tomaron el halcón. El viejo comenzó a quitarle las ligaduras.

—¿Por qué le quitas eso? ¿Para qué te sirven?

—Amigos míos, soy un viajero. Cuando se rompan los cordones que atan mis zapatos, esta cuerda me será de utilidad.

Los cazadores no respondieron y salieron en busca de presas de caza. Al rato, o después de mucho tiempo, no sé, vieron una bandada de gansos que volaban sobre sus cabezas.

—¡Amigos, soltemos a nuestro halcón!

Eso hicieron, y no volvieron a verlo. El halcón se elevó por encima de la bandada de los gansos y voló hacia el viejo. Una vez allí, dio un golpe en la tierra con la pata y se convirtió de nuevo en un joven bello y apuesto. Regresaron a su casa, muy contentos.

Llegó el domingo. El muchacho le dijo a su padre:

—Padre, ahora me transformaré en caballo. Véndeles el caballo, pero por nada del mundo les entregues las riendas, porque entonces ya no podré regresar a casa.

Dio un golpe en el suelo con el pie y se transformó en un magnífico potro. El padre lo llevó hasta el pueblo para venderlo. Los compradores rodearon al viejo.

Uno le ofreció una suma considerable, otro, una suma aun más considerable, y el tercero, una suma aun mucho mayor. Pero el hechicero le ofreció un precio que superó el de todos los demás. El viejo le vendió a su hijo, pero no le dio las riendas.

—¿Cómo me llevaré al caballo? —preguntó el hechicero—. Dámela, así podré conducirlo a mi caballeriza. Luego puedes venir por las riendas, pues ya no me harán falta.

Y todos los compradores se volvieron contra el viejo:

—Lo que has hecho atenta contra nuestras costumbres. Cuando vendes un caballo, también debes vender las riendas.

¿Qué podía hacer? El viejo le entregó las riendas al brujo.

El hechicero condujo al caballo hasta la caballeriza, lo encerró en el establo y lo ató con fuerza al anillo. El caballo quedó con la cabeza alzada, apoyado sobre las patas traseras, pues las de adelante no tocaban el suelo.

—Bueno, hija mía —dijo el hechicero—. ¡Pude comprar al astuto muchacho!

—¿Dónde está?

—En el establo.

La muchacha fue a verlo. Sintió compasión por el joven, y, como quería aflojarle las riendas, lo desató del anillo. El caballo comenzó a sacudir la cabeza, hasta que logró librarse de las riendas, y de inmediato se escapó a campo traviesa.

La muchacha fue corriendo a buscar a su padre.

—¡Perdóname, padre mío! He cometido una falta terrible. ¡El caballo se escapó!

El hechicero dio un golpe en el suelo con el pie, se transformó en un lobo gris y fue detrás del caballo.

Logró acercarse a él y casi lo atrapa. Pero justo en ese momento el caballo corrió hacia el río, dio un golpe en el suelo con la pata, se transformó en rana y se tiró al agua. El lobo hizo lo mismo, bajo la forma de un pez. La rana cruzó el río a nado, llegó a la otra orilla y se encontró con unas jóvenes que lavaban ropa. Se transformó entonces en un anillo de oro que, rodando, fue a caer junto a la mano de la hija de un mercader. La hija del mercader vio el anillo, lo tomó y se lo puso en el dedo. El hechicero volvió a su forma humana y le dijo a la joven:

—¡Devuélveme mi anillo de oro!

—¡Acá lo tienes! —le respondió la muchacha, arrojándolo al suelo.

Cuando el anillo tocó el suelo, se transformó en perlas finas que se dispersaron por todas partes. El hechicero se convirtió en gallo y comenzó a picotearlas. Mientras estaba distraído realizando esta tarea, una de las perlas se transfiguró en gavilán y lo hirió de muerte. Entonces el gavilán volvió a adquirir la forma de un joven bello y apuesto, del que se enamoró la hija del mercader. Se casaron, y vivieron felices. Y colorín colorado, este cuento se ha acabado.

Así termina el cuento. Y ahora, tráiganme una buena copa de aguardiente.

Leonid Andréiev
El gigante

—El gigante llegó, enorme, el enorme gigante. Era enorme, enorme. ¡El enorme y ridículo gigante! Con sus grandes manos con dedos gordos. Con sus grandes pies, gruesos como árboles, gruesos, tan gruesos. Llegó… ¡y se cayó! ¡En serio, se cayó! ¡Dio un tropezón y se cayó! Tan bruto, tan ridículo, el gigante… Se quedó ahí, en el suelo, con la boca abierta, ridículo, como un deshollinador. ¿Por qué viniste, gigante? ¡Vamos, levántate, gigante! ¡Es tan tierno el bueno de Dodik, tan amoroso, aferrado con cariño a su mamá, junto a su corazón… su corazón… tan tierno, tan amoroso! Sus ojos son tan buenos, tan tiernos, que se hacen querer. Antes, en plena lluvia, cabalgaba sobre su caballito. Como sabes, gigante, Dodik tenía un caballito, un caballito bueno, sobre el cual cabalgaba y se iba dando saltos hasta el arroyo, hasta el bosque. ¿Pero sabías, gigante, que en el arroyo de pececillos había muchos pececillos? No, claro que no lo sabes, eres un tonto, gigante; pero Dodik lo sabe: peces muy pequeños, muy hermosos. El sol se refleja en el agua mientras ellos juegan, pequeños, hermosos, rápidos. Sí, gigante, tonto gigante: eso tú no lo sabes.

—¡Qué ridículo es el gigante! ¡Llegó y se cayó! ¡De forma tan ridícula! Subía por las escaleras, tan tonto subía, tropezó y se cayó. ¡Qué tonto gigante! Pero no vengas aquí, gigante, nadie te llamó. Antes Dodik hacía piruetas y corría, pero ahora es amoroso, tan tierno, con una mamá tan buena, que lo quiere mucho. Lo quiere más que a nada en el mundo, más que a su propia vida, tanto lo quiere. Es su luz, su felicidad: es felicidad. Ahora es pequeño, muy chiquito, y su vida es minúscula, pero pronto crecerá y se volverá como un gigante, con larga barba y enormes bigotes; y su vida será también enorme, radiante, excelente. Será bueno e inteligente, y fuerte como un gigante, tan fuerte e inteligente que todos lo querrán, y todos lo mirarán con orgullo y alegría. Tendrá momentos oscuros en su vida, como todo el mundo, pero tendrá muchos momentos felices, luminosos como el sol. Entrará en la vida siendo bello e inteligente, y el cielo azul brillará sobre su cabeza, y las aves cantarán sus canciones, y el agua murmurará en sus oídos con cariño. Y él dirá, tras echar un vistazo: «Todo es bueno, todo es luz».

—¡Espera! No es posible. Te tengo en mis brazos, te tengo sujeto con fuerza, niño. ¿No te da miedo la oscuridad? Mira, la luz se ve por la ventana. Es la luz de la calle, un farol, ¡tan ridículo! Apunta hacia nosotros y nos presta un poco de tierna, mínima luz. Está diciendo: «Les daré un poco de luz, los rodea tanta oscuridad». Qué farol alto y largo, ridículo. Iluminará mañana, también. ¡Ay, Dios mío, mañana…!

—Sí, sí, sí. El gigante. Claro que sí, por supuesto. El enorme, enorme gigante. Más que el farol, más que el campanario; ¡y el muy ridículo llegó, y se cayó! ¡Ah, qué tonto ese gigante! ¿Cómo no viste ese escalón? «Miré para arriba, no presté atención a mis pies», dice en voz baja el gigante, tú sabes, con su gruesa y profunda voz. «¡Miré para arriba!» Mejor hubieras mirado hacia abajo, tonto gigante; ahora lo has aprendido. Mi querido Dodik, tan bueno y tierno, tan inteligente, crecerá más que tú y caminará por la ciudad, por los bosques y las montañas. Será fuerte y osado, no le tendrá miedo a nada… a nada. Llegará hasta el arroyo y pasará por encima. Todos lo mirarán con la boca abierta, ridículos, mientras él pasará por encima. Y su vida será tan grande y hermosa, radiante y excelente, y el sol, nuestro querido sol, iluminará su camino. Desde el alba brillará, tan bueno… ¡Ay, Dios mío…!

—Pero… Llegó el gigante, y se cayó. Pero tan ridículo, ¡tan ridículo!

Así hablaba la madre, en medio de la noche oscura, aferrada al cuerpo del niño muerto. Paseaba de un lado al otro del cuarto y hablaba, iluminada por la luz del farol que entraba por la ventana. En la otra habitación, el padre escuchaba cada palabra, y lloraba.

Ambrose Bierce

Recuerdo de un naufragio

Mientras salía de la casa, ella me dijo que yo era un viejo cruel, y para nada amable, y que esperaba que nunca, nunca volviera. De modo que me embarqué como maestre en el *Mudlark*, que zarpaba de Londres hacia donde el capitán considerara conveniente navegar. No era aconsejable molestar al capitán Abersouth con órdenes, pues cuando no se salía con la suya, según decían, se las ingeniaba con gran astucia para hacer poco provechoso el viaje. Los dueños del *Mudlark* habían aprendido a tolerarlo con los años, y le permitían hacer lo que le viniera en gana, incluso transportar los cargamentos que quisiera a los puertos donde se encontraban las mujeres más atractivas. En el viaje sobre el que escribo no llevaba ningún cargamento; el capitán insistió en que solo serviría para hacer más lento y pesado al *Mudlark*. De oírlo hablar, bien podría pensarse que este marinero no sabía casi nada sobre su oficio.

Había pocos pasajeros, no tantos como las jofainas y mozos dispuestos para ellos, pues antes de subir al barco la mayoría de los que compraron pasajes preguntaban hacia dónde se dirigía el barco, y como no recibían respuesta regresaban a sus respectivos hoteles y enviaban a un bandido a bordo para retirar el equipaje. Pero quedaron suficientes pasajeros para causar más de un problema. Aprendieron a imitar el paso tambaleante propio de los marineros borrachos, y la cubierta superior tenía apenas el ancho necesario para permitirles ir desde el castillo de proa hasta la bitácora a fin de poner sus relojes en hora de acuerdo con la brújula del barco. Constantemente, le pedían al capitán Abersouth que soltara el ancla grande solo para oírla caer al agua, y si acaso se negaba, lo amenazaban con escribir protestas a los diarios. Uno de sus entretenimientos favoritos era el de sentarse a sotavento del macarrón a relatar sus experiencias de viajes anteriores, viajes que se destacaban en todos los casos por dos notables sucesos: la frecuencia de huracanes sin precedentes y la absoluta inmunidad del narrador al mareo. Resultaba muy interesante verlos sentados en fila contando estas historias, cada uno con una jofaina entre las piernas.

Un día estalló una gran tormenta. El mar barría la embarcación como si nunca antes hubiera visto un barco y se propusiera disfrutarlo todo lo que pudiera. El *Mudlark* se esforzó mucho, muchísimo más, en verdad, que la tripulación, pues aquellas almas inocentes habían descubierto que uno de ellos poseía un par de pantalones con fundillos de cuero, y no hicieron más que sentarse a jugárselo a las cartas; al mes de dejar el puerto cada uno de los marineros había ganado el pantalón más de una docena de veces. Estaba tan gastado por el hecho de pasarlo una y otra vez al ganador, que ya quedaba poco del pantalón excepto los fundillos, y al fin el capitán tiró por la borda aquella parte inmortal, no con malicia ni hostilidad, sino porque tenía la costumbre de darles patadas a los fundillos del pantalón.

La furia de la tormenta fue en aumento hasta que logró violentar tanto el *Mudlark* que el barco empezó a tomar y tomar agua como abstemio; pero entonces pareció calmarse al instante. Sin embargo, para ser justos con las tormentas de mar, después de rompernos los mástiles, arrancarnos el timón, arrebatarnos los botes y perforarnos un agujero en alguna parte inaccesible del casco, a menudo se alejan en busca de un barco nuevo, y nos dejan con la responsabilidad de tomar las medidas de alivio que juzguemos apropiadas. En este caso, el capitán juzgó apropiado sentarse a leer una novela de tres tomos en el pasamano de la borda a popa.

Al ver que había llegado más o menos a la mitad del segundo tomo, donde sin duda los amantes ya se veían inmersos en los más desesperados y angustiosos apuros, pensé que estaría particularmente de buen humor, de modo que me acerqué para informarle que el barco empezaba a hundirse.

—Bueno —dijo, mientras cerraba el libro, pero manteniendo el índice entre las páginas para señalar el lugar—, el barco ya nunca servirá para nada después de una sacudida como esa. Pero, por otra parte… mucho le agradecería que enviara al contramaestre a disolver ese grupo que se ha reunido allá para rezar. Me parece que el *Mudlark* no es una capilla para marineros.

—Pero —respondí, impaciente—, ¿no se puede hacer nada para reducir el peso del barco?

—Bueno —pronunció con lentitud, pensativo—, dado que ya no le quedan mástiles que podamos cortar ni cargamento para… espere, podríamos tirar por la borda a los pasajeros más corpulentos y pesados si le parece que serviría de algo.

Era una buena idea… una inspiración genial. Me dirigí a toda velocidad al castillo de proa, que, por estar menos hundido en el agua que el resto, estaba lleno de pasajeros, agarré de la nuca a un corpulento caballero entrado en años, lo empujé hasta la borda y lo tiré al mar. No llegó a tocar el agua: cayó en medio de un círculo de tiburones que saltaron a su encuentro, con las cabezas juntas y las colas apenas fuera de la superficie. Me parece poco probable que el viejo caballero se diera cuenta de lo que se disponían a hacer con él.

Enseguida, arrojé a una mujer al agua y lancé a un bebé gordo a la furia de los vientos. La primera desapareció bajo los dientes de los tiburones; el segundo fue repartido entre las gaviotas.

Les cuento estos sucesos tal como ocurrieron. Me sería muy fácil armar una historia edificante con todo este material; relatar, por ejemplo, cómo, mientras me ocupaba de reducir el peso del barco, me sentí conmovido por el espíritu abnegado de una bellísima joven, que, para salvar la vida de su amado, empujó a su anciana madre hacia mí, al tiempo que me imploraba que aceptase a la vieja, pero que me compadeciera, ay, me compadeciera de su adorado Henry. Podría contarles también cómo no solo agarré a la vieja dama, tal como me lo pidió la hija, sino que enseguida atrapé al adorado Henry y lo lancé rodando a sotavento tan lejos como pude, no sin antes quebrarle la espalda contra la borda y arrancarle un buen puñado de pelo ensortijado de la cabeza. Podría seguir contándoles que, ya calmado, robé un bote grande y, tomando a la hermosa doncella, me alejé del funesto barco rumbo a la iglesia de St. Massaker, en las Islas Fidji, donde quedamos unidos por un lazo que luego deshice con los dientes cuando me la comí. Pero la verdad es que nada de esto ocurrió, y no puedo exponerme a ser el primer escritor en contar mentiras con el solo fin de interesar al lector. Lo que de veras pasó fue esto: mientras me encontraba en el alcázar arrojando pasajeros por la borda, uno tras otro, el capitán Abersouth, que ya había terminado de leer su novela, se acercó a la popa y, sin hacer ruido, me empujó a *mí* al mar.

Tantas veces se han relatado las sensaciones de un hombre a punto de ahogarse, que me limitaré a explicar de modo muy sucinto cómo la memoria reveló de inmediato sus íntimos tesoros: todas las escenas de mi azarosa vida se amontonaron en mi mente, aunque sin confusión o disputa. Vi todo el trayecto de mi vida desplegado ante mis ojos, como un mapa de África central después del descubrimiento del gorila. Estaba también la cuna donde dormí de niño, embotado por jarabes sedantes; el cochecito de bebé, con el que tumbé al maestro, haciendo fuerza desde atrás, y en el que mi infantil espina dorsal adquirió su curvatura; la niñera, que cedía sus labios primero a mí y luego al jardinero; el viejo hogar de mi juventud, con sus hiedras e hipotecas; mi hermano mayor, que heredó por testamento las deudas de la familia; mi hermana, que se fugó con el conde Von Pretzel, cochero de una muy respetable familia neoyorquina; mi madre, de pie en pose de santa, que apretaba con las manos su devocionario contra los senos postizos patentados por Madame Fahertini; mi venerable padre, sentado frente la chimenea, con la cabeza canosa inclinada sobre el pecho, las manos marchitas cruzadas pacientemente sobre la falda, esperando la muerte con resignación cristiana, y borracho como un lord inglés; todo esto, y mucho más, pasó por los ojos de mi mente, y el espectáculo fue gratis. Luego sentí un zumbido vibrante en los oídos —mis sentidos nadaron mejor que yo—, y mientras me hundía, a través de profundidades insondables, la luz ambarina que se reflejaba sobre mí se fue apagando y ensombreciendo hasta alcanzar la oscuridad total. De repente mis pies tocaron algo firme: era el fondo. ¡Gracias a Dios, estaba a salvo!

Antón Chéjov
En la oscuridad

Una mosca no muy grande se abrió paso por la nariz de Gagin, asistente del procurador. Quizá la inspiró la curiosidad, o quizá llegó hasta allí por atolondrada o a causa de un accidente en medio de la noche; sea como fuere, la nariz advirtió la presencia de un cuerpo extraño e hizo ademán de estornudar. Gagin estornudó, estornudó de manera impresionante, con tal descarga y tal ruido que la cama se sacudió y los resortes traquetearon. La esposa de Gagin, María Mijailovna, una mujer rubia, regordeta y fornida, también se sobresaltó y se despertó. Miró a través de la oscuridad, lanzó un suspiro y giró hacia el otro lado. A los cinco minutos, volvió a girar y apretó los párpados con fuerza, pero ya no podía conciliar el sueño. Después de varios suspiros y de dar vueltas a uno y otro lado, se levantó, pasó por encima de su marido, se puso las pantuflas y se acercó a la ventana.

Afuera estaba oscuro. Apenas podía distinguir los contornos de los árboles y el techo de los establos. Se veía, en dirección al Este, una tenue palidez que pronto quedaría cubierta por las nubes. La quietud del ambiente era perfecta, envuelta en somnolencia y brumas. Hasta el guardián, contratado para alterar el silencio, callaba; incluso callaba el rey de codorniz, la única criatura alada que no huye de la presencia de los veraneantes.

María Mijailovna fue quien rompió el silencio. Desde la ventana, con la vista fija en el patio, lanzó de pronto un grito. Le pareció que una sombra salía del vergel del álamo deshojado en dirección a la casa. Por un segundo creyó que era una vaca o un caballo; pero después de frotarse los ojos, distinguió la silueta de un hombre.

Notó entonces que la sombra se acercaba a la ventana de la cocina y, después de un momento de indecisión, ponía un pie en el alféizar y desaparecía en la oscuridad de la ventana.

«¡Un ladrón!», pensó, y una palidez mortal le atravesó el rostro.

En un segundo, le cruzó por la mente esa imagen tan temida por las mujeres que van de veraneo al campo: un ladrón que se mete en la cocina, y que de la cocina, entra en el comedor… la platería en la alacena… y luego va a la habitación… con un hacha… el rostro de bandido… las joyas… Le flaquearon las piernas y le corrió un escalofrío por la espalda.

—¡Vasia! —gritó, sacudiendo a su marido—. *¡Vasili!* ¡Vasili Prokóvich! ¡Ah! ¡Por Dios, no reacciona! ¡Despierta, *Vasili*, te lo ruego!

—Mmm… ¿Sí? —protestó el asistente del procurador, aspirando una gran bocanada de aire y lanzando un gruñido.

—¡Por amor de Dios, levántate! ¡Entró un ladrón en la cocina! Estaba mirando hacia fuera y vi que alguien se metía por la ventana. Pronto va a llegar al comedor… ¡Los cubiertos están en la alacena! ¡Vasili! Se metieron en la casa de Mavra Yegorovna el año pasado.

—¿Qué…, qué pasa…?

—¡Cielos! No me entiende. ¡Escucha, idiota! Te estoy diciendo que acabo de ver a un hombre entrar por la ventana de la cocina. Pelagia se va a llevar un buen susto… ¡y la platería está en la alacena!

—Tonterías.

—¡No aguanto más, Vasili! Te hablo de un peligro real y tú te echas a dormir y a roncar. ¿Qué te pasa? ¿Prefieres que nos roben y nos asesinen?

El asistente del procurador se levantó con lentitud, se sentó en la cama y empezó a bostezar.

—¡Dios mío, qué criaturas las mujeres! —murmuró—. ¡No te dejan en paz ni por la noche! ¡Despertar a un hombre por una tontería así!

—Pero, Vasili, te juro que vi a un hombre entrar por la ventana.

—Bueno, ¿y qué? Déjalo que entre nomás… Estoy seguro de que es el novio de Pelagia, el bombero.

—¿Cómo? ¿Qué has dicho?

—Digo que es el bombero de Pelagia, que ha venido a visitarla.

—¡Peor todavía! —aulló María Mijailovna—. ¡Peor que un ladrón! No voy a permitir tal *cinismo* en mi propia casa.

—¡Vaya arrogancia! ¡Ahora somos virtuosos! ¿No vas a permitir tal *cinismo*? ¡Como si eso fuera algo cínico! ¿Por qué de repente empiezas a usar palabras extranjeras? Querida, es algo que sucede desde que el mundo es mundo, y la tradición lo justifica. ¿Para qué nos sirve un bombero, si no es para hacerle el amor a la cocinera?

—¡No, Vasili! ¡Hablas como si no me conocieras! Nunca permitiré algo así… en mi propia casa. ¡Debes ir en este instante a la cocina y decirle que se vaya! ¡En este mismo instante! Y mañana le voy a decir a Pelagia que no puede rebajarse de ese modo haciendo esas cosas. Cuando me muera, podrás tolerar toda la inmoralidad que quieras en tu casa, pero hasta entonces, ¡nada de eso! Ahora, ¡anda!

—Maldita sea —renegó Gagin, fastidiado—. Usa tu microscópico cerebro de mujer: ¿para qué voy a ir?

—¡Vasili! Mira que me desmayo…

Gagin maldijo, se puso las pantuflas, volvió a maldecir y se dirigió a la cocina. Afuera estaba oscuro como el fondo de un barril, y el asistente del procurador tuvo que guiarse por el tacto. A tientas, llegó hasta la puerta de la habitación de los niños y despertó a la niñera.

—¡Vasilisa! —llamó—. Anoche te llevaste mi bata para pasarle el cepillo. ¿Dónde está?

—Se la di a Pelagia para que ella la cepillara, señor.

—¡Qué descuido! Te la llevaste y no me la devolviste… ¡Ahora tengo que andar por la casa sin la bata!

Al llegar a la cocina, se dirigió al rincón donde, en una caja debajo del estante de las cacerolas, dormía la cocinera.

—Pelagia —dijo, sacudiéndole el hombro—. ¡Pelagia! ¿Por qué finges? ¡No estás dormida! ¿Quién es el que acaba de entrar por la ventana?

—Mmm… Eh… ¡Buenos días! ¿Por la ventana? ¿Y quién podrá ser?

—¡Vamos, no sirve de nada que me mientas! Lo mejor que puedes hacer es decirle a ese bribón que se vaya cuanto antes. ¿Me escuchas? ¡No tiene nada que hacer aquí!

—¿Se siente bien, señor, por amor de Dios? ¿Acaso cree que soy tan tonta? ¡Me paso todo el día trabajando, sin un minuto de descanso siquiera, y ahora me viene a hablar así en medio de la noche! Cuatro rublos al mes… además de tener que pagar por mi propio té y mi propia azúcar, ¡y este es el reconocimiento que recibo por el trabajo que hago! ¡Antes vivía en la casa de un comerciante y nunca me insultaron de esta manera!

—Bueno, bueno, ¡no me vengas ahora con tus quejas! En este momento tu amigo se tiene que ir. ¿Me entiendes?

—Debería darle vergüenza, señor —dijo Pelagia, y Gagin podía oír las lágrimas en su voz—. ¡Gente tan elegante y educada, pero sin la menor idea de lo mucho que trabajamos... durante nuestra vida miserable! —rompió a llorar—. Qué fácil es insultarnos. No tenemos a nadie que nos proteja.

—Bueno, está bien... A mí no me importa. Tu patrona es la que me manda. Puedes dejar entrar al mismo diablo por la ventana, si quieres. ¡A mí me da igual!

Lo único que le quedaba al asistente del procurador era aceptar que se había equivocado y volver con su esposa.

—Lo que te decía, Pelagia —continuó—, es que tú tienes mi bata y la ibas a cepillar. ¿Dónde está?

—Ay, lo lamento, señor. Me olvidé de ponerla en su silla. Está colgada de un gancho cerca del horno.

Gagin fue hasta el horno, tomó la bata y se la puso. Volvió silencioso a su habitación.

Cuando su marido salió, María Mijailovna volvió a meterse en la cama y se puso a esperar. Los primeros tres minutos se quedó tranquila, pero luego empezó a preocuparse.

«Cuánto tarda», pensó. «No me importa que sea ese hombre... el inmoral ese... ¿pero si es un ladrón?»

Y una vez más, le vino a la cabeza la imagen de su marido entrando en la cocina a oscuras... un golpe con un hacha... muriendo, sin proferir un gemido, en silencio total... un mar de sangre...

Pasaron cinco minutos… cinco y medio… por fin, seis… Un sudor frío le corrió por la frente.

—¡Vasili! —gritó—. ¡Vasili!

—¿Qué tanto gritas? Acá estoy —oyó la voz de su marido y sus pisadas—. ¿Te están asesinando?

El asistente del procurador se acercó a la cama y se sentó en el borde.

—No había nadie en absoluto —le explicó—. Fue una fantasía tuya, criatura endemoniada… Puedes dormir tranquila. La tonta de Pelagia es tan virtuosa como su patrona. ¡Qué cobarde eres! ¡Qué…!

El asistente del procurador comenzó a burlarse de su mujer. Estaba bien despierto en ese momento y no tenía deseos de volver a dormir.

—¡Eres una cobarde! —se rió—. Deberías ir mañana a ver al doctor para que te cure esas alucinaciones. ¡Eres una neurótica!

—Qué olor a aceite —lo interrumpió su mujer—. A aceite o algo así, cebolla, o sopa de repollo…

—Sí… Hay un olor… No tengo sueño. Quiero decir, voy a encender una vela. ¿Dónde están los fósforos? Y, de paso, te voy a mostrar la fotografía del procurador del Palacio de Justicia. Nos dio a todos una fotografía con su autógrafo cuando se despidió de nosotros ayer.

Gagin frotó un fósforo contra la pared y encendió una vela. Pero antes de que pudiera levantarse para ir a buscar la fotografía, oyó un grito espeluznante a sus espaldas. Se dio vuelta y notó que su mujer lo miraba, con los ojos muy abiertos, llena de asombro, ira y horror…

—¿Te quitaste la bata en la cocina? —preguntó, pálida.

—¿Por qué?

—Mírate.

El asistente del procurador se miró en el espejo y tragó saliva.

Sobre los hombros no llevaba la bata, sino el sobretodo del bombero. ¿Cómo podía ser? Mientras trataba de encontrar la respuesta, su esposa comenzó a imaginar una escena muy distinta, espantosa e intolerable: oscuridad, silencio, susurros... y muchas, muchas cosas más.

Kate Chopin

Arrepentimiento

Mamzelle Aurélie tenía una figura imponente, mejillas coloradas, cabellos que variaban de castaño a gris, y una mirada enérgica. En la granja llevaba puesto un sombrero de hombre, un viejo sobretodo militar azul cuando hacía frío, y a veces botas de campaña.

Mamzelle Aurélie nunca había pensado en casarse. Jamás había estado enamorada. A los veinte años recibió una propuesta de matrimonio, que rechazó de inmediato, y a los cincuenta seguía sin lamentar su decisión.

Así que estaba sola en el mundo, excepto por su perro Ponto, los negros que vivían en las cabañas y labraban los campos, las aves de corral, unas cuantas vacas, un par de mulas, su escopeta (para dispararles a los halcones gallineros) y su religión.

Una mañana, Mamzelle Aurélie se encontraba en la veranda de su casa, observando, con las manos en la cintura, a un pequeño grupo de niños muy pequeños que bien podían haber caído de las nubes por lo inesperado y desconcertante de su llegada, y tan inoportuna. Eran los hijos de su vecina más cercana, Odile, que a decir verdad no era tan cercana.

La joven se había aparecido apenas cinco minutos antes, acompañada de los cuatro niños. En brazos llevaba a la pequeña Elodie, arrastraba de una mano rebelde a Ti Nomme, mientras Marcéline y Marcélette la seguían con paso indeciso.

Tenía la cara roja y desfigurada por las lágrimas y la agitación. La grave enfermedad de su madre requería su presencia en un condado vecino, su marido se encontraba lejos, en Texas —que a ella le parecía a miles de miles de kilómetros de distancia—, y Valsin la esperaba con la carreta de mulas para llevarla a la estación.

—No hay alternativa, Mamzelle Aurélie. Tiene que quedarse con los niños hasta mi regreso. *Dieu sait* que no la molestaría si hubiera otra solución. Oblíguelos a que la obedezcan, Mamzelle Aurélie, y castíguelos cuando sea necesario. Bueno, yo, como ve, ando medio enloquecida entre los niños y Leon lejos de casa. ¡Y quizá ni siquiera encuentre a mi pobre madre *encore* con vida! —horrible posibilidad que llevó a Odile a una despedida final, precipitada y temblorosa, de su desconsolada familia.

Los dejó amontonados en la franja angosta de sombra en el porche de la casa larga y baja. La blanca luz del sol recalentaba los viejos tablones blancos; varios pollos picoteaban la hierba al pie de las gradas, y uno de ellos, el más audaz, subió los escalones y empezó a caminar por la galería con pesadez y solemnidad, sin rumbo fijo. En el aire se sentía el agradable aroma de los claveles, y el sonido de la risa de los negros llegaba a través del floreciente campo de algodón.

Mamzelle Aurélie se quedó observando a los niños. Miró con ojo crítico a Marcéline, que se tambaleaba bajo el peso de la regordeta Elodie. Examinó con la misma atención a Marcélette, que mezclaba sus lágrimas silenciosas con la rebeldía ostentosa y el ruidoso dolor de Ti Nomme. Durante esos pocos instantes contemplativos, trató de recobrar la calma, mientras definía una línea de conducta que debía coincidir con la línea del deber. Empezó por la comida.

Si esas hubieran sido las únicas responsabilidades de Mamzelle Aurélie, se las habría quitado de encima con facilidad, pues su despensa estaba bien provista para esa clase de emergencias. Pero los niños pequeños no son cerditos; necesitan y exigen cuidados que Mamzelle Aurélie no esperaba en absoluto y estaba muy mal preparada para realizar.

Durante los primeros días fue en verdad muy torpe en el manejo de los hijos de Odile. ¿Cómo podía saber que Marcélette solía llorar cuando le hablaban en voz demasiado alta y autoritaria? Era un rasgo característico de Marcélette. Se enteró de la pasión por las flores de Ti Nomme solo después de que el niño arrancó las gardenias y los claveles más bonitos del jardín, con el propósito aparente de estudiar en detalle su estructura botánica.

—No basta con decírselo, Mamzelle Aurélie —le explicó Marcéline—. Tiene que amarrarlo en una silla. Es lo que suele hacer *maman* todo el tiempo cuando se porta mal: lo amarra en la silla.

La silla en la que Mamzelle Aurélie ató a Ti Nomme era amplia y cómoda, y como era una tarde calurosa, el niño aprovechó la oportunidad para dormir una buena siesta.

Por la noche, cuando los mandó a todos juntos a la cama del mismo modo que hubiera espantado pollos en el gallinero, los niños la miraron desconcertados. ¿Y qué hacer con los pequeños camisones blancos que trajeron en fundas de almohada y que una mano fuerte debía sacudir hasta que restallaran como látigo de buey? ¿Y qué hacer con la tina de agua que había que colocar en el suelo, en medio del cuarto, para lavar con suavidad y esmero los pequeños pies cansados, polvorientos y bronceados por el sol? Y a Marcéline y Marcélette les causó mucha gracia la sola idea de que Mamzelle Aurélie hubiera creído, aunque fuera por un instante, que Ti Nomme podría dormirse sin que le contaran el cuento de Croquemitaine o el de Loup-garou, o los dos; o que Elodie pudiera conciliar el sueño sin que la mecieran en brazos o le cantaran una canción de cuna.

—Créeme, tía Ruby —le confió Mamzelle Aurélie a su cocinera—, por mi parte, preferiría mil veces hacerme cargo de una docena de plantaciones que de cuatro niños. *¡Es terrasent! ¡Bonté!* ¡No quiero saber nada de niños!

—No esperaba que supiera cómo tratarlos, Mamzelle Aurélie. Lo comprobé ayer mientras observaba a ese niño pequeño jugando con sus llaves. ¿No sabía usted que jugar con llaves vuelve a los niños tercos y testarudos? Así como se les ponen duros los dientes si se miran al espejo. Esas son las cosas que tiene que saber cuando cría y educa niños.

Por cierto, Mamzelle Aurélie no pretendía ni deseaba adquirir un conocimiento tan sutil y trascendente sobre el tema como el que poseía la tía Ruby, que «crio a cinco y enterró a seis» en sus buenos tiempos. Se contentaba con aprender dos o tres secretitos de madre para las necesidades del momento.

Los dedos pegajosos de Ti Nomme la obligaron a desempolvar delantales blancos que no había usado en años, y tuvo que acostumbrarse a sus besos húmedos, a las manifestaciones de su naturaleza cariñosa y exuberante. Del estante más alto del armario bajó el costurero, que rara vez usaba, y lo colocó al alcance de la mano como lo exigían las enaguas desgarradas y las blusas sin botones. Le tomó varios días acostumbrarse a las risas, los llantos y el parloteo que resonaban durante todo el día dentro y fuera de la casa. Y pasaron más de dos noches antes de que pudiera dormir cómodamente con el cuerpecito regordete y cálido de Elodie apretado contra ella, mientras el dulce aliento de la niña le rozaba la mejilla como el suave aletear de un pájaro.

Pero al cabo de dos semanas Mamzelle Aurélie ya estaba bastante acostumbrada a esas cosas y había dejado de quejarse.

Y fue también al cabo de dos semanas, mientras observaba el establo donde se alimentaba el ganado al atardecer, cuando Mamzelle Aurélie vio la carreta azul de Valsin en la curva del camino. Odile estaba sentada al lado del mulato, muy derecha y alerta. A medida que se acercaban, el rostro radiante de la joven indicaba que el retorno al hogar era un regreso feliz.

Pero esa llegada, sin previo aviso y tan sorpresiva, sumió a Mamzelle Aurélie en un estado de aturdimiento que bordeaba casi la agitación. Había que reunir a los niños. ¿Dónde estaba Ti Nomme? Allá, en el cobertizo, afilando una navaja en la piedra de amolar. ¿Y Marcéline y Marcélette? Cortando y cosiendo ropa de muñeca en un rincón de la veranda. En cuanto a Elodie, la niña se encontraba segura en brazos de Mamzelle Aurélie y había gritado de alegría al reconocer la carreta azul que traía de regreso a su madre.

Pasó la excitación; ya se habían ido. ¡Qué silencio se hizo cuando se fueron! Mamzelle Aurélie se quedó en la veranda, mirando y escuchando. Ya no divisaba la carreta; la puesta de sol rojiza y el crepúsculo azul grisáceo extendieron a la vez una niebla púrpura sobre los campos y el camino que la borró de su vista. Ya no podía oír el traqueteo y chirrido de las ruedas. Pero aún podía escuchar a lo lejos las alegres voces bulliciosas de los niños.

Entró en la casa. La esperaba mucho trabajo, pues los niños habían dejado todo en desorden. Pero no empezó la tarea de inmediato. Mamzelle Aurélie se sentó junto a la mesa. Echó una lenta mirada a través de la habitación, donde se deslizaban las sombras del anochecer, cada vez más oscuras alrededor de su figura solitaria. Dejó caer la cabeza sobre el brazo doblado, y empezó a llorar. ¡Ah, cómo lloraba! No en silencio como suelen hacer las mujeres. Lloró como un hombre, con sollozos que parecían desgarrarle el fondo del alma. No se dio cuenta de que Ponto le lamía la mano.

Stephen Crane

Con la cara hacia arriba

—¿Qué vamos a hacer ahora? —preguntó el ayudante, inquieto y agitado.

—Enterrarlo —respondió Timothy Lean.

Los dos oficiales bajaron la vista hacia el cuerpo de su compañero, que yacía tendido a sus pies. Tenía el rostro azulado; los ojos brillantes miraban al cielo. Por encima de las dos siluetas de pie, se oía el silbido de las balas, y en la cima de la loma, la postrada infantería Spitzbergen disparaba rítmicas descargas cerradas.

—No crees que sería mejor… —empezó a decir el ayudante—. Podríamos dejarlo aquí hasta mañana.

—No —dijo Lean—. No voy a poder sostener nuestra posición más de una hora. Tengo que retroceder y debemos enterrar al viejo Bill.

—Por supuesto —replicó el ayudante de inmediato—. ¿Tus hombres tienen herramientas de trinchera?

Lean gritó en dirección a la pequeña línea de fuego, y dos hombres se acercaron lentamente, con un pico y una pala. Se quedaron mirando en dirección a los tiradores apostados de Rostina. Las balas restallaban cerca de sus oídos.

—Cava aquí —ordenó Lean, de mal humor.

Los hombres, obligados a bajar la vista hacia el césped, empezaron a darse prisa y a sentir miedo pues no podían ver de dónde venían las balas. El golpe seco del pico golpeando contra la tierra resonaba entre el rápido estallido de las balas cercanas. Al poco rato, el otro soldado raso empezó a cavar con la pala.

—Supongo —dijo el ayudante, despacio— que deberíamos buscar en la ropa... cosas.

Lean asintió. Juntos, ensimismados en forma extraña, observaron el cadáver. Entonces, Lean agitó los hombros, como si se despertara de improviso.

—Sí —respondió—, será mejor que veamos qué tiene.

Se puso de rodillas y acercó las manos al cuerpo del oficial muerto. Pero las manos le temblaron sobre los botones de la chaqueta. El primer botón tenía un color rojo ladrillo debido a la sangre seca, y Lean, al parecer, no se atrevía a tocarlo.

—Vamos, sigue —dijo el ayudante, con voz ronca.

Lean extendió la mano rígida y sus dedos manipularon con torpeza los botones manchados de sangre. Por fin se levantó con la cara pálida. Encontró un reloj, un silbato, una pipa, una bolsa de tabaco, un pañuelo, un pequeño estuche de naipes, y papeles. Miró al ayudante. Se hizo un silencio. El ayudante sentía que se había portado como un cobarde al permitir que Lean llevara a cabo por sí solo la deprimente tarea.

—Bueno —dijo Lean—. Eso es todo, creo. Tú tienes su espada y revólver.

—Sí —respondió el ayudante, con una mueca. Pero entonces, con una furia inexplicable y repentina, se dirigió a los dos soldados rasos:

—¿Por qué no se apuran con esa tumba? ¿Qué es lo que creen que están haciendo? Vamos, rápido, ¿me oyen? Nunca vi semejante estupidez...

Al mismo tiempo que el ayudante gritaba en un arrebato de cólera, los dos hombres luchaban por su vida. En forma constante, por encima de sus cabezas, seguían silbando las balas.

Terminaron de cavar la tumba. No era una obra de arte... tan solo un triste hueco de poco fondo. Lean y el ayudante se miraron de nuevo en un raro entendimiento silencioso.

De pronto, el asistente lanzó una carcajada ronca y espeluznante. Era una risa terrible, como las que surgen de aquella parte del cerebro que se ve estimulada ante todo por la vibración de los nervios.

—Bueno —le dijo a Lean, risueño—. Supongo que será mejor que lo arrojemos allí.

—Sí —respondió Lean. Los dos soldados rasos esperaban agachados sobre sus herramientas.

—Creo —siguió Lean— que sería mejor que nosotros mismos lo metamos adentro.

—Sí —concedió el asistente. Y entonces, recordando que había obligado a Lean a registrar el cadáver, se inclinó con gran entereza y agarró al oficial muerto de la ropa. Lean se le acercó. Ambos pusieron especial cuidado en no rozar el cadáver con los dedos. Tiraron con fuerza; el cadáver se elevó, se movió de un lado a otro, se tambaleó y por fin se desplomó dentro de la tumba, y los dos oficiales, recobrando la postura, se miraron fijo uno a otro. Dieron un suspiro de alivio.

—Creo que deberíamos... deberíamos decir algo. ¿Recuerdas el servicio funerario, Tim?

—No suelen rezarlo hasta que no se cubre la tumba —respondió Lean.

—¿Ah, no? —dijo el ayudante, disgustado por haber cometido ese error—. Ah, bueno —exclamó, de repente—, digamos... digamos algo... mientras nos pueda oír.

—Está bien —contestó Lean—. ¿Te acuerdas del rezo?

—No recuerdo ni una sola línea —dijo el ayudante.

Lean se mostró muy indeciso:

—Puedo repetir dos líneas, pero…

—Bueno, hazlo —insistió el ayudante—. Hasta donde puedas. Peor es nada. Y las bestias esas ya nos tienen en la mira.

Lean observó a sus dos hombres.

—¡Atención! —vociferó una orden.

Los soldados rasos se cuadraron con cara de gran aflicción. El ayudante bajó el casco hasta la rodilla. Lean, con la cabeza descubierta, se ubicó frente a la tumba. Los tiradores apostados de Rostina disparaban sin tregua.

—Oh, Padre, nuestro amigo se ha sumergido en las aguas profundas de la muerte, pero su espíritu se ha elevado hacia Ti como surge la burbuja de los labios de los ahogados. Te suplicamos, oh, Padre, que repares en la pequeña burbuja flotante y…

Lean, aunque ronco y pudoroso, había continuado sin vacilar hasta ese momento, pero se detuvo desesperado y miró el cadáver.

El ayudante se movió, ansioso.

—Y desde Tus majestuosas alturas… —empezó, y entonces él también se quedó callado.

—Y desde Tus majestuosas alturas —continuó Lean.

En forma repentina, el ayudante recordó una frase final del servicio funerario de Spitzbergen, y se aprovechó de ella con la actitud triunfante del hombre que lo ha recordado todo y puede proseguir.

—Oh, Dios, ten piedad…

—Oh, Dios, ten piedad… —coreó Lean.

—Piedad —repitió el ayudante, y se paró en seco.

—Piedad —siguió Lean. Pero entonces se vio embargado de un profundo sentimiento de violencia, y girando hacia sus dos hombres, les gritó con crueldad—: ¡Arrojen la tierra!

El fuego de los tiradores de Rostina era certero y continuo.

Uno de los afligidos soldados rasos se adelantó con la pala. Levantó la primera palada, y por un instante de incomprensible vacilación, la mantuvo suspendida sobre el cadáver que, con el rostro azulado, lo miraba fijo desde la tumba. Entonces el soldado volcó la tierra sobre... sobre los pies.

Timothy Lean sintió como si le hubieran quitado de pronto un enorme peso de encima. Por un instante temió que el soldado echara la tierra quizá sobre... sobre la cara. Pero la había volcado sobre los pies. Un gran punto a favor... ¡ja, ja!... la primera palada había caído en los pies. ¡Qué satisfacción!

El asistente empezó a balbucear.

—Bueno, claro... un hombre con el que hemos compartido tantas cosas durante todos estos años... imposible... no puedes dejar, como bien sabes, que tus íntimos amigos se pudran al aire libre en el campo. ¡Usted, siga echando tierra, por amor de Dios!

Súbitamente el hombre con la pala se agachó. Con la mano derecha se apretó el brazo izquierdo y miró a su oficial a la espera de órdenes. Lean recogió la pala del suelo.

—Vaya a la retaguardia —le dijo al hombre herido; y se dirigió al otro soldado—: Usted también, póngase a cubierto. Me encargaré de terminar este asunto.

El hombre herido empezó a gatear en forma precipitada hacia la cima de la loma sin siquiera desviar la vista en dirección a las balas; el otro soldado lo siguió al mismo paso, pero con la diferencia de que miró ansioso hacia atrás por lo menos tres veces.

Así suelen comportarse... a menudo... los heridos y los no heridos.

Timothy Lean llenó la pala, dudó, y entonces en un movimiento parecido a una mueca de repugnancia, lanzó la palada a la tumba. Cuando la tierra cayó, hizo un ruido: ¡plaf! Lean hizo una pausa de inmediato y se secó la frente como un trabajador agotado.

—Quizá nos equivocamos —intervino el ayudante. Lanzó una mirada tonta a su alrededor—. Tal vez hubiese sido mejor no enterrarlo justo en este momento. Pero, claro, si esperábamos hasta mañana el cuerpo habría estado…

—¡Maldito seas! —exclamó Lean—. ¡Cierra el pico! No era el oficial de más alto rango.

Volvió a llenar la pala y arrojó la tierra en el foso. La tierra siempre hacía ese ruido: ¡plaf! Durante un buen rato, Lean trabajó frenético, como un hombre que cava su propia salvación.

En poco tiempo, solo quedó a la vista el rostro azulado. Lean llenó de nuevo la pala.

—¡Dios mío! —le gritó al ayudante—. ¿Por qué no lo diste vuelta de algún modo cuando lo metiste allí? Esto… —entonces Lean empezó a tartamudear.

El asistente comprendió. Hasta los labios se le pusieron lívidos.

—¡Sigue, hombre, sigue! —exclamó, suplicante, casi gritando.

Lean balanceó la pala hacia atrás. Esta se adelantó curvada como un péndulo. Cuando la tierra cayó, hizo un ruido: ¡plaf!

Rubén Darío

Huitzilopoxtli

Tuve que ir, hace poco tiempo, en una comisión periodística, de una ciudad frontera de los Estados Unidos
a un punto mexicano en que había un destacamento
de Carranza. Allí se me dio una recomendación y un
salvoconducto para penetrar en la parte de territorio
dependiente de Pancho Villa, el guerrillero y caudillo
militar formidable. Yo tenía que ver a un amigo, tenien-
te en las milicias revolucionarias, el cual me había ofre-
cido datos para mis informaciones, asegurándome que
nada tendría que temer durante mi permanencia en su
campo.

Hice el viaje, en automóvil, hasta un poco más
allá de la línea fronteriza en compañía de míster John
Perhaps, médico, y también hombre de periodismo,
al servicio de diarios yanquis, y del coronel Reguera,
o mejor dicho, el padre Reguera, uno de los hombres
más raros y terribles que haya conocido en mi vida. El
padre Reguera es un antiguo fraile que, joven en tiempos de Maximiliano, imperialista, naturalmente, cambió en el tiempo de Porfirio Díaz de emperador sin
cambiar en nada de lo demás. Es un viejo fraile vasco
que cree en que todo está dispuesto por la resolución
divina. Sobre todo, el derecho divino del mando es
para él indiscutible.

—Porfirio dominó —decía— porque Dios lo quiso.
Porque así debía ser.

—¡No diga macanas! —contestaba míster Perhaps, que había estado en la Argentina.

—Pero a Porfirio le faltó la comunicación con la Divinidad... ¡Al que no respeta el misterio se lo lleva el diablo! Y Porfirio nos hizo andar sin sotana por las calles. En cambio Madero...

Aquí en México, sobre todo, se vive en un suelo que está repleto de misterio. Todos esos indios que hay no respiran otra cosa. Y el destino de la nación mexicana está todavía en poder de las primitivas divinidades de los aborígenes. En otras partes se dice: «Rascad... y aparecerá el...». Aquí no hay que rascar nada. El misterio azteca, o maya, vive en todo mexicano por mucha mezcla social que haya en su sangre, y esto en pocos.

—Coronel, ¡tome un whisky! —dijo míster Perhaps, tendiéndole su frasco de ruolz.

—Prefiero el comiteco —respondió el padre Reguera, y me tendió un papel con sal, que sacó de un bolsón, y una cantimplora llena de licor mexicano.

Andando, andando, llegamos al extremo de un bosque, en donde oímos un grito:

«¡Alto!» Nos detuvimos. No se podía pasar por ahí. Unos cuantos soldados indios, descalzos, con sus grandes sombrerones y sus rifles listos, nos detuvieron.

El viejo Reguera parlamentó con el principal, quien conocía también al yanqui. Todo acabó bien. Tuvimos dos mulas y un caballejo para llegar al punto de nuestro destino. Hacía luna cuando seguimos la marcha. Fuimos paso a paso. De pronto exclamé, dirigiéndome al viejo Reguera:

—Reguera, ¿cómo quiere que le llame, coronel o padre?

—¡Como la que lo parió! —bufó el apergaminado personaje.

—Lo digo —repuse— porque tengo que preguntarle sobre cosas que a mí me preocupan bastante.

Las dos mulas iban a un trotecito regular, y solamente míster Perhaps se detenía de cuando en cuando a arreglar la cincha de su caballo, aunque lo principal era el engullimiento de su whisky.

Dejé que pasara el yanqui adelante, y luego, acercando mi caballería a la del Padre Reguera, le dije:

—Usted es un hombre valiente, práctico y antiguo. A usted le respetan y lo quieren mucho todas estas indiadas. Dígame en confianza: ¿es cierto que todavía se suelen ver aquí cosas extraordinarias, como en tiempos de la Conquista?

—¡Buen diablo se lo lleve a usted! ¿Tiene tabaco?

Le di un cigarro.

—Pues le diré a usted. Desde hace muchos años conozco a estos indios como a mí mismo, y vivo entre ellos como si fuese uno de ellos. Me vine aquí muy muchacho, en tiempos de Maximiliano. Ya era cura y sigo siendo cura, y moriré cura.

—¿Y...?

—No se meta en eso.

—Tiene usted razón, padre; pero sí me permitirá que me interese en su extraña vida. ¿Cómo usted ha podido ser durante tantos años sacerdote, militar, hombre que tiene una leyenda, metido por tanto tiempo entre los indios, y por último aparecer en la Revolución con Madero? ¿No se había dicho que Porfirio le había ganado a usted?

El viejo Reguera soltó una gran carcajada.

—Mientras Porfirio tuvo a Dios, todo anduvo muy bien; y eso por doña Carmen...

—¿Cómo, padre?

—Pues así... Lo que hay es que los otros dioses...

—¿Cuáles, padre?

—Los de la tierra…

—¿Pero usted cree en ellos?

—Calla, muchacho, y tómate otro comiteco.

—Invitemos —le dije— a míster Perhaps que se ha ido ya muy delantero.

—¡Eh, Perhaps! ¡Perhaps!

No nos contestó el yanqui.

—Espere —le dije, padre Reguera; voy a ver si lo alcanzo.

—No vaya —me contestó mirando al fondo de la selva. Tome su comiteco.

El alcohol azteca había puesto en mi sangre una actividad singular. A poco andar en silencio, me dijo el padre:

—Si Madero no se hubiera dejado engañar…

—¿De los políticos?

—No, hijo; de los diablos…

—¿Cómo es eso?

—Usted sabe.

—Lo del espiritismo…

—Nada de eso. Lo que hay es que él logró ponerse en comunicación con los dioses viejos…

—¡Pero, padre…!

—Sí, muchacho, sí, y te lo digo porque, aunque yo diga misa, eso no me quita lo aprendido por todas esas regiones en tantos años… Y te advierto una cosa: con la cruz hemos hecho aquí muy poco, y por dentro y por fuera el alma y las formas de los primitivos ídolos nos vencen… Aquí no hubo suficientes cadenas cristianas para esclavizar a las divinidades de antes; y cada vez que han podido, y ahora sobre todo, esos diablos se muestran.

Mi mula dio un salto atrás toda agitada y temblorosa, quise hacerla pasar y fue imposible.

—Quieto, quieto —me dijo Reguera.

Sacó su largo cuchillo y cortó de un árbol un varejón, y luego con él dio unos cuantos golpes en el suelo.

—No se asuste —me dijo—; es una cascabel.

Y vi entonces una gran víbora que quedaba muerta a lo largo del camino. Y cuando seguimos el viaje, oí una sorda risita del cura...

—No hemos vuelto a ver al yanqui —le dije.

—No se preocupe; ya le encontraremos alguna vez.

Seguimos adelante. Hubo que pasar a través de una gran arboleda tras la cual oíase el ruido del agua en una quebrada. A poco: «¡Alto!».

—¿Otra vez? —le dije a Reguera.

—Sí —me contestó—. Estamos en el sitio más delicado que ocupan las fuerzas revolucionarias. ¡Paciencia!

Un oficial con varios soldados se adelantaron. Reguera les habló y oí contestar al oficial:

—Imposible pasar más adelante. Habrá que quedar ahí hasta el amanecer.

Escogimos para reposar un escampado bajo un gran ahuehuete.

De más decir que yo no podía dormir. Yo había terminado mi tabaco y pedí a Reguera.

—Tengo —me dijo—, pero con mariguana.

Acepté, pero con miedo, pues conozco los efectos de esa yerba embrujadora, y me puse a fumar. En seguida el cura roncaba y yo no podía dormir.

Todo era silencio en la selva, pero silencio temeroso, bajo la luz pálida de la luna. De pronto escuché a lo lejos como un quejido largo y aullante, que luego fue un coro de aullidos. Yo ya conocía esa siniestra música de las selvas salvajes: era el aullido de los coyotes.

Me incorporé cuando sentí que los clamores se iban acercando. No me sentía bien y me acordé de la mariguana del cura. Si sería eso...

Los aullidos aumentaban. Sin despertar al viejo Reguera, tomé mi revólver y me fui hacia el lado en donde estaba el peligro.

Caminé y me interné un tanto en la floresta, hasta que vi una especie de claridad que no era la de la luna, puesto que la claridad lunar, fuera del bosque era blanca; y esta, dentro, era dorada. Continué internándome hasta donde escuchaba como un vago rumor de voces humanas alternando de cuando en cuando con los aullidos de los coyotes.

Avancé hasta donde me fue posible. He aquí lo que vi: un enorme ídolo de piedra, que era ídolo y altar al mismo tiempo, se alzaba en esa claridad que apenas he indicado. Imposible detallar nada. Dos cabezas de serpiente, que eran como brazos o tentáculos del bloque, se juntaban en la parte superior, sobre una especie de inmensa testa descarnada, que tenía a su alrededor una ristra de manos cortadas, sobre un collar de perlas, y debajo de eso, vi, en vida de vida, un movimiento monstruoso. Pero ante todo observé unos cuantos indios, de los mismos que nos habían servido para el acarreo de nuestros equipajes, y que silenciosos y hieráticamente daban vueltas alrededor de aquel altar viviente.

Viviente, porque fijándome bien, y recordando mis lecturas especiales, me convencí de que aquello era un altar de Teoyaomiqui, la diosa mexicana de la muerte. En aquella piedra se agitaban serpientes vivas, y adquiría el espectáculo una actualidad espantable.

Me adelanté. Sin aullar, en un silencio fatal, llegó una tropa de coyotes y rodeó el altar misterioso. Noté que las serpientes, aglomeradas, se agitaban; y al pie del bloque ofídico, un cuerpo se movía, el cuerpo de un hombre: Míster Perhaps estaba allí.

Tras un tronco de árbol yo estaba en mi pavoroso silencio. Creí padecer una alucinación; pero lo que en realidad había era aquel gran círculo que formaban esos lobos de América, esos aullantes coyotes más fatídicos que los lobos de Europa.

Al día siguiente, cuando llegamos al campamento, hubo que llamar al médico para mí.

Pregunté por el padre Reguera.

—El coronel Reguera —me dijo la persona que estaba cerca de mí— está en este momento ocupado. Le faltan tres por fusilar.

Franz Kafka
El silencio de las sirenas

Está comprobado que métodos insuficientes, e incluso infantiles, sirven para sortear un peligro:

Para protegerse de las sirenas, Odiseo se tapó los oídos con cera e hizo que lo encadenaran al mástil mayor de su nave. Excepto los viajeros que ya habían sucumbido a sus encantos al oírlas a la distancia, muchos hubieran hecho lo mismo, si bien era sabido que ese recurso sería de poca ayuda. El canto de las sirenas lo penetraba todo, y la pasión de los seducidos era tal, que podía destruir mástiles y cadenas. Pero Odiseo, consciente de ese hecho, le dio poca importancia. Confiaba por completo en su manojo de cadenas y en su puñado de cera; así, se enfrentó a las sirenas con inocente alegría.

Ahora bien, las sirenas tienen un arma mucho más peligrosa que su canto: su silencio. Aunque sabemos que jamás ocurrió, es posible que alguien escapara de su canto, pero nunca nadie logró huir de su silencio. No hay en el mundo sentimiento comparable a la pasmosa soberbia de haberlas vencido mediante las propias fuerzas.

Por eso las terribles seductoras no cantaron cuando Odiseo pasó por su lado: ya fuera porque solo con silencio podían vencer a su adversario, o porque al observar la belleza del rostro de Odiseo, que no pensaba en otra cosa que en cadenas y cera, olvidaron la canción.

Sin embargo, Odiseo, para decirlo de algún modo, no percibió el silencio, porque pensó que ellas estaban cantando y que él era el único que no las oía. Por un momento pudo verles las curvas del cuello, el vaho de su profunda respiración, los ojos colmados de lágrimas y las bocas semiabiertas. Para él, todo fue parte de la música que se evaporaba a su alrededor sin ser captada por oído humano. Pero pronto, a pesar de su determinación, mientras miraba a la distancia, las sirenas desaparecieron en el mismo instante en que llegaban a su lado, y ya no las volvió a ver.

Pero las sirenas se alargaban y trenzaban, más hermosas que nunca; desplegaban escalofriantes cabelleras al viento y acariciaban las rocas con sus garras. Ya no querían seducirlo, solo atrapar el fulgor de los grandes ojos de Odiseo y conservarlo por un segundo.

Si las sirenas hubieran tenido conciencia, ese mismo día habrían muerto. Pero siguieron con vida, y Odiseo fue el único hombre que logró escapar de sus encantos.

A esta historia se añade un comentario. Se dice que Odiseo, hombre sabio, era astuto como un zorro, tanto que la diosa del Destino desconocía lo que guardaba en el corazón. Aunque nadie con sentido común pueda comprenderlo, es posible que Odiseo se diera cuenta de que las sirenas permanecieron calladas y representó una farsa para ellas y para los dioses, digamos que a modo de protección.

Baldomero Lillo

La compuerta número doce

Pablo se aferró instintivamente a las piernas de su padre. Zumbábanle los oídos, y el piso que huía debajo de sus pies le producía una extraña sensación de angustia. Creíase precipitado en aquel agujero cuya negra abertura había entrevisto al penetrar en la jaula, y sus grandes ojos miraban con espanto las lóbregas paredes del pozo en el que se hundían con vertiginosa rapidez. En aquel silencioso descenso sin trepidación ni más ruido que el del agua goteando sobre la techumbre de hierro, las luces de las lámparas parecían prontas a extinguirse, y a sus débiles destellos se delineaban vagamente en la penumbra las hendiduras y partes salientes de la roca; una serie interminable de negras sombras que volaban como saetas hacia lo alto.

Pasado un minuto, la velocidad disminuyó bruscamente, los pies asentáronse con más solidez en el piso fugitivo y el pesado armazón de hierro, con un áspero rechinar de goznes y de cadenas, quedó inmóvil a la entrada de la galería.

El viejo tomó de la mano al pequeño y juntos se internaron en el negro túnel. Eran de los primeros en llegar y el movimiento de la mina no empezaba aún. De la galería bastante alta para permitir al minero erguir su elevada talla, solo se distinguía parte de la techumbre cruzada por gruesos maderos. Las paredes laterales permanecían invisibles en la oscuridad profunda que llenaba la vasta y lóbrega excavación.

A cuarenta metros del pique se detuvieron ante una especie de gruta excavada en la roca. Del techo agrietado, de color de hollín, colgaba un candil de hoja de lata cuyo maciento resplandor daba a la estancia la apariencia de una cripta enlutada y llena de sombras. En el fondo, sentado delante de una mesa, un hombre pequeño, ya entrado en años, hacía anotaciones en un enorme registro. Su negro traje hacía resaltar la palidez del rostro surcado por profundas arrugas. Al ruido de pasos levantó la cabeza y fijó una mirada interrogadora en el viejo minero, quien avanzó con timidez, diciendo con voz llena de sumisión y de respeto:

—Señor, aquí traigo el chico.

Los ojos penetrantes del capataz abarcaron de una ojeada el cuerpecillo endeble del muchacho. Sus delgados miembros, y la infantil inconsciencia del moreno rostro en el que brillaban dos ojos muy abiertos como de medrosa bestezuela, lo impresionaron desfavorablemente, y su corazón endurecido por el espectáculo diario de tantas miserias experimentó una piadosa sacudida a la vista de aquel pequeñuelo arrancado de sus juegos infantiles, y condenado, como tantas infelices criaturas, a languidecer miserablemente en las humildes galerías, junto a las puertas de ventilación. Las duras líneas de su rostro se suavizaron, y con fingida aspereza le dijo al viejo, que, muy inquieto por aquel examen, fijaba en él una ansiosa mirada:

—¡Hombre! Este muchacho es todavía muy débil para el trabajo. ¿Es hijo tuyo?

—Sí, señor.

—Pues debías tener lástima de sus pocos años, y antes de enterrarlo aquí, enviarlo a la escuela por algún tiempo.

—Señor —balbuceó la voz ruda del minero en la que vibraba un acento de dolorosa súplica—, somos seis en casa y uno solo el que trabaja. Pablo cumplió ya los ocho años y debe ganar el pan que come y, como hijo de mineros, su oficio será el de sus mayores, que no tuvieron nunca otra escuela que la mina.

Su voz opaca y temblorosa se extinguió repentinamente en un acceso de tos, pero sus ojos húmedos imploraban con tal insistencia, que el capataz vencido por aquel mudo ruego llevó a sus labios un silbato y arrancó de él un sonido agudo que repercutió a lo lejos en la desierta galería. Oyose un rumor de pasos precipitados y una oscura silueta se dibujó en el hueco de la puerta.

—Juan —exclamó el hombrecillo, dirigiéndose al recién llegado—, lleva a este chico a la compuerta número doce. Reemplazará al hijo de José, el carretillero, aplastado ayer por la corrida.

Y volviéndose bruscamente hacia el viejo, que empezaba a murmurar una frase de agradecimiento, díjole con tono duro y severo:

—He visto que en la última semana no has alcanzado a los cinco cajones que es el mínimum diario que se exige a cada barretero. No olvides que si esto sucede otra vez, será preciso darte de baja para que ocupe tu sitio otro más activo.

Y haciendo con la diestra un ademán enérgico, lo despidió.

Los tres se marcharon silenciosos y el rumor de sus pisadas fue alejándose poco a poco en la oscura galería. Caminaban entre dos hileras de rieles cuyas traviesas hundidas en el suelo fangoso trataban de evitar alargando o acortando el paso, guiándose por los gruesos clavos que sujetaban las barras de acero. El guía, un hombre joven aún, iba adelante, y más atrás, con el pequeño Pablo de la mano, seguía el viejo con la barba sumida en el pecho, hondamente preocupado. Las palabras del capataz y la amenaza en ellas contenida habían llenado de angustia su corazón. Desde algún tiempo su decadencia era visible para todos; cada día se acercaba más el fatal lindero que una vez traspasado convierte al obrero viejo en un trasto inútil dentro de la mina. El balde desde el amanecer hasta la noche durante catorce horas mortales, revolviéndose como un reptil en la estrecha labor, atacaba la hulla furiosamente, encarnizándose contra el filón inagotable, que tantas generaciones de forzados como él arañaban sin cesar en las entrañas de la tierra.

Pero aquella lucha tenaz y sin tregua convertía muy pronto en viejos decrépitos a los más jóvenes y vigorosos. Allí, en la lóbrega madriguera húmeda y estrecha, encorvábanse las espaldas y aflojábanse los músculos y, como el potro resabiado que se estremece tembloroso a la vista de la vara, los viejos mineros cada mañana sentían tiritar sus carnes al contacto de la vena. Pero el hambre es aguijón más eficaz que el látigo y la espuela, y reanudaban taciturnos la tarea agobiadora, y la veta entera, acribillada por mil partes por aquella carcoma humana, vibraba sutilmente, desmoronándose pedazo a pedazo, mordida por el diente cuadrangular del pico, como la arenisca de la ribera a los embates del mar.

La súbita detención del guía arrancó al viejo de sus tristes cavilaciones. Una puerta les cerraba el camino en aquella dirección, y en el suelo arrimado a la pared había un bulto pequeño cuyos contornos se destacaban confusamente heridos por las luces vacilantes de las lámparas: era un niño de diez años acurrucado en un hueco de la muralla.

Con los codos en las rodillas y el pálido rostro entre las manos enflaquecidas, mudo e inmóvil, pareció no percibir a los obreros que traspusieron el umbral y lo dejaron de nuevo sumido en la oscuridad. Sus ojos abiertos, sin expresión, estaban fijos obstinadamente hacia arriba, absortos tal vez, en la contemplación de un panorama imaginario que, como el miraje del desierto, atraía sus pupilas sedientas de luz, húmedas por la nostalgia del lejano resplandor del día.

Encargado del manejo de esa puerta, pasaba las horas interminables de su encierro sumergido en un ensimismamiento doloroso, abrumado por aquella lápida enorme que ahogó para siempre en él la inquieta y grácil movilidad de la infancia, cuyos sufrimientos dejan en el alma que los comprende una amargura infinita y un sentimiento de execración acerbo por el egoísmo y la cobardía humanos.

Los dos hombres y el niño, después de caminar algún tiempo por un estrecho corredor, desembocaron en una alta galería de arrastre de cuya techumbre caía una lluvia continua de gruesas gotas de agua. Un ruido sordo y lejano, como si un martillo gigantesco golpease sobre sus cabezas la armadura del planeta, escuchábase a intervalos. Aquel rumor, cuyo origen Pablo no acertaba a explicarse, era el choque de las olas en las rompientes de la costa. Anduvieron aún un corto trecho y se encontraron por fin delante de la compuerta número doce.

—Aquí es —dijo el guía, deteniéndose junto a la hoja de tablas que giraba sujeta a un marco de madera incrustado en una roca.

Las tinieblas eran tan espesas que las rojizas luces de las lámparas, sujetas a las viseras de las gorras de cuero, apenas dejaban entrever aquel obstáculo.

Pablo, que no se explicaba ese alto repentino, contemplaba silencioso a sus acompañantes, quienes, después de cambiar entre sí algunas palabras breves y rápidas, se pusieron a enseñarle con jovialidad y empeño el manejo de la compuerta. El rapaz, siguiendo sus indicaciones, la abrió y cerró repetidas veces, desvaneciendo la incertidumbre del padre que temía que las fuerzas de su hijo no bastasen para aquel trabajo.

El viejo manifestó su contento, pasando la callosa mano por la inculta cabellera de su primogénito, quien hasta allí no había demostrado cansancio ni inquietud. Su juvenil imaginación impresionada por aquel espectáculo nuevo y desconocido se hallaba aturdida, desorientada. Parecíale a veces que estaba en un cuarto a oscuras y creía ver a cada instante abrirse una ventana y entrar por ella los brillantes rayos del sol, y aunque su inexperto corazoncito no experimentaba ya la angustia que le asaltó en el pozo de bajada, aquellos mimos y caricias a que no estaba acostumbrado despertaron su desconfianza.

Una luz brilló a lo lejos en la galería y luego se oyó el chirrido de las ruedas sobre la vía, mientras un trote pesado y rápido hacía retumbar el suelo.

—¡Es la corrida! —exclamaron a un tiempo los dos hombres.

—Pronto, Pablo —dijo el viejo—, a ver cómo cumples tu obligación.

El pequeño con los puños apretados apoyó su diminuto cuerpo contra la hoja que cedió lentamente hasta tocar la pared. Apenas efectuada esta operación, un caballo oscuro, sudoroso y jadeante, cruzó rápido delante de ellos, arrastrando un pesado tren cargado de mineral.

Los obreros se miraron satisfechos. El novato era ya un portero experimentado, y el viejo, inclinando su alta estatura, empezó a hablarle zalameramente: él no era ya un chicuelo, como los que quedaban allá arriba que lloran por nada y están siempre colgados de las faldas de las mujeres, sino un hombre, un valiente, nada menos que un obrero, es decir, un camarada a quien había que tratar como tal. Y en breves frases le dio a entender que les era forzoso dejarlo solo; pero que no tuviese miedo, pues había en la mina muchísimos otros de su edad, desempeñando el mismo trabajo; que él estaba cerca y vendría a verlo de cuando en cuando, y una vez terminada la faena regresarían juntos a casa.

Pablo oía aquello con espanto creciente y por toda respuesta se agarró con ambas manos de la blusa del minero. Hasta entonces no se había dado cuenta exacta de lo que se exigía de él. El giro inesperado que tomaba lo que creyó un simple paseo le produjo un miedo cerval, y dominado por un deseo vehementísimo de abandonar aquel sitio, de ver a su madre y a sus hermanos y de encontrarse otra vez a la claridad del día, solo contestaba a las afectuosas razones de su padre con un «¡vamos!» quejumbroso y lleno de miedo. Ni promesas ni amenazas lo convencían, y el «¡vamos, padre!» brotaba de sus labios cada vez más dolorido y apremiante.

Una violenta contrariedad se pintó en el rostro del viejo minero; pero al ver aquellos ojos llenos de lágrimas, desolados y suplicantes, levantados hacia él, su naciente cólera se trocó en una piedad infinita: ¡era todavía tan débil y pequeño! Y el amor paternal, adormecido en lo íntimo de su ser, recobró de súbito su fuerza avasalladora.

El recuerdo de su vida, de esos cuarenta años de trabajos y sufrimientos, se presentó de repente a su imaginación, y con honda congoja comprobó que de aquella labor inmensa solo le restaba un cuerpo exhausto que tal vez muy pronto arrojarían de la mina como un estorbo, y al pensar que idéntico destino aguardaba a la triste criatura, le acometió de improviso un deseo imperioso de disputar su presa a ese monstruo insaciable, que arrancaba del regazo de las madres a los hijos apenas crecidos para convertirlos en esos parias, cuyas espaldas reciben con el mismo estoicismo el golpe brutal del amo y las caricias de la roca en las inclinadas galerías.

Pero aquel sentimiento de rebelión que empezaba a germinar en él se extinguió repentinamente ante el recuerdo de su pobre hogar y de los seres hambrientos y desnudos de los que era el único sostén, y su vieja experiencia le demostró lo insensato de su quimera. La mina no soltaba nunca al que había atrapado y, como eslabones nuevos que sustituyen a los viejos y gastados de una cadena sin fin, allí abajo los hijos sucedían a los padres, y en el hondo pozo el subir y bajar de aquella marca viviente no se interrumpiría jamás. Los pequeñuelos, respirando el aire emponzoñado de la mina, crecían raquíticos, débiles, paliduchos, pero había que resignarse, pues para eso habían nacido.

Y con resuelto ademán, el viejo desenrolló de su cintura una cuerda delgada y fuerte, y a pesar de la resistencia y súplicas del niño, lo ató con ella por mitad del cuerpo y aseguró, en seguida, la otra extremidad en un grueso perno incrustado en la roca. Trozos de cordel adheridos a aquel hierro indicaban que no era la primera vez que prestaba un servicio semejante.

La criatura, medio muerta de terror, lanzaba gritos penetrantes de pavorosa angustia, y hubo que emplear la violencia para arrancarla de entre las piernas del padre, a las que se había asido con todas sus fuerzas. Sus ruegos y clamores llenaban la galería, sin que la tierna víctima, más desdichada que el bíblico Isaac, oyese una voz amiga que detuviera el brazo paternal armado contra su propia carne, por el crimen y la iniquidad de los hombres.

Sus voces llamando al viejo que se alejaba tenían acentos tan desgarradores, tan hondos y vibrantes, que el infeliz padre sintió de nuevo flaquear su resolución. Mas aquel desfallecimiento solo duró un instante, y tapándose los oídos para no escuchar aquellos gritos que le atenaceaban las entrañas, apresuró la marcha, apartándose de aquel sitio. Antes de abandonar la galería, se detuvo un instante, y escuchó: una vocecilla tenue como un soplo clamaba allá muy lejos, debilitada por la distancia:

—¡Madre! ¡Madre!

Entonces echó a correr como un loco, acosado por el doliente vagido, y no se detuvo sino cuando se halló delante de la vena, a la vista de la cual su dolor se convirtió de pronto en furiosa ira y, empuñando el mango del pico, la atacó rabiosamente. En el duro bloque caían los golpes como espesa granizada sobre sonoros cristales, y el diente de acero se hundía en aquella masa negra y brillante, arrancando trozos enormes que se amontonaban entre las piernas del obrero, mientras un polvo espeso cubría como un velo la vacilante luz de la lámpara.

Las cortantes aristas del carbón volaban con fuerza, hiriéndole el rostro, el cuello y el pecho desnudo. Hilos de sangre mezclábanse al copioso sudor que inundaba su cuerpo, que penetraba como una cuña en la brecha abierta, ensanchándose con el afán del presidiario que horada el muro que lo oprime; pero sin la esperanza que alienta y fortalece al prisionero: hallar al fin de la jornada una vida nueva, llena de sol, de aire y de libertad.

Jack London
El diente de ballena

En los primeros tiempos de las Islas Fidji, John Starhurst entró en la casa de la misión en el pueblo de
Rewa y anunció su propósito de difundir el Evangelio
en todo Viti Levu. Ahora bien, Vitu Levu quiere decir
«Gran Territorio», pues es la mayor de todas las islas
del archipiélago. Aquí y allá a lo largo de las costas,
vivían de modo muy precario unos cuantos misioneros, comerciantes, pescadores nativos y desertores de
barcos balleneros. El humo de los hornos ardientes se
elevaba bajo sus ventanas, y los cuerpos de los caídos
eran arrastrados no lejos de sus puertas, camino a los
banquetes.

El Lotu o culto cristiano casi no progresaba, y más
bien parecía retroceder. Los jefes, que se decían cristianos y eran aceptados en el seno de la Iglesia, tenían
la perturbadora costumbre de reincidir en sus viejas
creencias con el fin de saborear la carne de alguno
de sus enemigos favoritos. Comer o ser comido era la
ley del territorio; y comer o ser comido prometía seguir siendo, por mucho tiempo más, la ley imperante
del territorio. Había jefes, como Tanoa, Tuiveikoso y
Tuikilakila, que literalmente se comieron a cientos de
sus congéneres. Pero entre todos estos glotones, se
destacaba uno en especial, llamado Ra Undreundre.
Vivía en Takiraki y guardaba un registro de sus proezas gustativas. Una fila de piedras colocadas delante

de su casa marcaba los cuerpos que había consumido. La hilera tenía doscientos treinta pasos de largo, y las piedras que la constituían sumaban un total de ochocientas setenta y dos. Cada una de las piedras representaba un cuerpo. La fila de piedras podría haber sido más larga, pero por desgracia, una pequeña lanza atravesó la región lumbar de Ra Undreundre durante una escaramuza en los matorrales de Somo Somo y el destacado jefe acabó como plato principal en la mesa de Naungavuli, cuya mediocre hilera llegaba apenas a cuarenta y ocho piedras.

Los tenaces misioneros, atacados por las fiebres, se dedicaban con ardor a su tarea, un tanto desalentados a veces, aunque no perdían las esperanzas de que un fulgor repentino del fuego de Pentecostés produjera una gloriosa provisión de almas. Pero la Fidji caníbal permanecía inconmovible. Los antropófagos de pelo rizado no estaban dispuestos a renunciar a sus marmitas mientras la reserva de carne humana fuera abundante. A veces, cuando la carne era demasiado abundante, se aprovechaban de los misioneros, y dejaban correr la voz de que en tal o cual día iba a haber una matanza con barbacoa incluida. De inmediato, los misioneros compraban las vidas de las víctimas con cigarros de tabaco, varas de calicó y collares de abalorios. Pese a todo, los jefes hacían un buen negocio al deshacerse de ese modo del excedente de carne viva.

Además, siempre podían salir de cacería y conseguir más.

Y fue en esas circunstancias, precisamente, cuando John Stahurst anunció que difundiría el Evangelio de costa a costa, por todo el Gran Territorio, y que empezaría en las espesuras montañosas de las fuentes del río Rewa. Sus palabras fueron recibidas con consternación.

Los maestros indígenas lloraron en silencio. Sus compañeros misioneros trataron en vano de disuadirlo. El rey de Rewa le advirtió que, sin duda, los habitantes de la montaña le aplicarían el kai-kai —kai-kai significa «comer»—, y que él, el rey de Rewa, habiéndose convertido al Lotu, se vería forzado a declararles la guerra a' los habitantes de la montaña. Era consciente de que tal vez no pudiera vencerlos. Era consciente, también, de que los montañeses podrían aventurarse río abajo y atacar el pueblo de Rewa. ¿Pero qué podía hacer? Si John Starhurst insistía en ir a las montañas y ser comido, habría una guerra que costaría cientos de vidas.

Más tarde ese día, una comisión de jefes del pueblo se presentó ante John Starhurst. El misionero los escuchó con paciencia y discutió con ellos con paciencia, pero no cedió ni un ápice en su propósito. Les explicó a sus hermanos misioneros que no tenía vocación de mártir, que había recibido el mandato divino de propagar el Evangelio en Vitu Levu, y que solo cumplía con la voluntad del Señor.

A los comerciantes que fueron a verlo y se opusieron con mayor empeño que los demás, les dijo: «Sus objeciones no tienen ningún valor. Se inspiran en el daño que puedan sufrir sus mercaderías. Ustedes están interesados en ganar dinero, y yo, en salvar almas. Es necesario convertir a los paganos de estas tierras tenebrosas».

John Starhurst no era un fanático. Hubiera sido el primero en negar tal imputación. Por sobre todo, era un hombre sano y práctico.

Estaba seguro de que su misión sería exitosa, y tuvo visiones en las que encendía la chispa de Pentecostés en las almas de los indígenas e inauguraba el renacimiento que se precipitaría fuera de las montañas y a todo lo largo y ancho del Gran Territorio, de costa a costa, hasta llegar a las islas en medio del mar. No había destellos salvajes en sus dulces ojos grises; apenas el fulgor de la paciente resolución y de la fe inalterable en el Poder Superior que lo guiaba.

Solo un hombre aprobaba su proyecto, y ese era Ra Vatu, que lo alentó en secreto y le ofreció proporcionarle guías hasta las primeras colinas al pie de las montañas. A su vez, John Starhurst se sentía muy satisfecho de la conducta de Ra Vatu. De pagano incorregible, con el corazón tan negro como sus prácticas, Ra Vatu empezaba a irradiar luz. Hablaba incluso de convertirse en Lotu. Cierto era que tres años atrás había expresado las mismas intenciones, y hubiese ingresado a la Iglesia de no haber sido por las objeciones de John Starhurst a su insistencia en presentarse acompañado de sus cuatro mujeres. Ra Vatu tenía reparos económicos y éticos contra la monogamia. Además, la insignificante objeción del misionero lo ofendió a muerte, y, para demostrar que era un hombre libre y honorable, blandió su enorme maza de guerra sobre la cabeza de Starhurst. El misionero pudo escapar por un pelo, agachándose a tiempo bajo el garrote y aferrándose al salvaje hasta que llegó el socorro. Pero todo eso fue perdonado, y cayó en el olvido. Ra Vatu retornaba a la Iglesia, no simplemente como un salvaje converso, sino también como un polígamo converso. Le aseguró a Starhurst que sería monógamo no bien muriese su primera mujer, que en ese entonces se encontraba enferma de gravedad.

John Starhurst inició su viaje por las perezosas aguas del Rewa en una de las canoas de Ra Vatu. La canoa lo llevaría, durante dos días, hasta el destino prefijado, y luego retornaría al pueblo. A lo lejos, recortadas en el cielo, se veían las grandes montañas humeantes que trazaban la columna vertebral del Gran Territorio. John Starhurst se pasó todo el día contemplándolas ansioso e impaciente.

A veces rezaba en silencio. En otras ocasiones, se unía a sus rezos Narau, un maestro indígena, que era Lotu desde hacía siete años, desde el día en que fue salvado por el doctor James Ellery Brown de los hornos ardientes a cambio del insignificante pago de cien cigarros de tabaco, dos mantas de algodón y un frasco grande de medicina balsámica. A último momento, después de veinte horas de súplicas y rezos solitarios, los oídos de Narau oyeron el llamado divino que lo instaba a acompañar a John Starhurst en su misión a las montañas.

—Te aseguro, señor, que iré contigo —le anunció.

John Starhurst le dio la bienvenida con sobrio deleite. En verdad, el Señor estaba con él, no cabía duda, pues había incitado a seguirlo a una criatura de espíritu tan quebrantado como Narau.

—Carezco, en verdad, de ánimo, y soy el más débil de los siervos del Señor —explicó Narau, el primer día en la canoa.

—Debes tener fe, mucha más fe —lo reprendía el misionero.

Ese mismo día, otra canoa remontaba el río Rewa. Pero navegaba con una hora de retraso con respecto al misionero, y se cuidaba de no ser vista. Esa canoa también le pertenecía a Ra Vatu. En ella viajaba Erirola, primo hermano y hombre de confianza de Ra Vatu, y en el pequeño cesto que siempre tenía a mano guardaba un diente de ballena. Era un diente magnífico, de quince centímetros de largo y bellísimas proporciones, cuyo marfil, con el pasar de los años, había adquirido tonalidades moradas y amarillentas. El diente también era propiedad de Ra Vatu; y en Fidji, cuando interviene el diente, suelen ocurrir muchas cosas. Pues esa es la virtud del diente de ballena. Quien lo reciba no puede rechazar la petición que lo acompaña o la que le sigue. La petición puede incluir desde una vida humana hasta una alianza tribal, y ningún habitante de Fidji se atrevería a faltar al compromiso si aceptara el diente. A veces se demora la petición o su cumplimiento, con consecuencias nefastas.

Río arriba, en el pueblo de un jefe de nombre Mongondro, John Starhurst se tomó un descanso al final del segundo día de viaje. Por la mañana, acompañado de Narau, pensaba salir a pie hacia las humeantes montañas, las cuales, vistas de cerca en ese momento, se veían verdes y aterciopeladas. Mongondro era viejo, pequeño, de carácter suave y buenos modales, aunque corto de vista y afectado de elefantiasis, de modo, pues, que ya no le atraían las turbulencias de la guerra. Recibió al misionero con cálida hospitalidad, le sirvió comida en su propia mesa e incluso conversó con él de asuntos religiosos. Mongondro tenía una mente inquisitiva, y John Starhurst se sintió muy complacido cuando le pidió que le explicara la existencia y el comienzo de las cosas. Al terminar su resumen de la Creación según el Génesis, el misionero notó que Mongondro estaba profundamente afectado. El pequeño y viejo jefe fumó en silencio durante un buen rato. Luego se quitó la pipa de la boca y movió la cabeza con tristeza.

—No puede ser —dijo—. Yo, Mongondro, en mi juventud, fui muy hábil con las herramientas de carpintería. Sin embargo, me tomó tres meses hacer una canoa, una canoa pequeña, muy pequeña. Y tú me estás diciendo que toda la tierra y toda el agua fueron creadas por un solo hombre…

—No, fueron hechas por Dios, el único Dios verdadero —interrumpió el misionero.

—¡Es lo mismo —continuó Mongondro— a que toda la tierra y toda el agua, los árboles, los peces, el monte y las montañas, el sol, la luna y las estrellas, todos hayan sido hechos por un solo hombre! No, no. Déjame decirte que, en mi juventud, fui un hombre hábil, y sin embargo me tomó tres meses hacer una canoa pequeña. Es un cuento para asustar a los niños, pero ningún hombre es capaz de creerlo.

—Yo soy un hombre —respondió el misionero.

—Cierto, eres un hombre. Pero mi humilde comprensión no puede entender tus creencias.

—Pero yo sí creo que todo fue hecho en seis días.

—Eso dices, eso dices —murmuró el viejo caníbal en tono conciliador.

No bien John Starhurst y Narau se fueron a dormir, Erirola entró con cautela en la casa del jefe, y después de un discurso formal y diplomático, le entregó a Mongondro el diente de ballena.

El viejo jefe tomó el diente y lo miró durante largo rato. Era un diente bellísimo y deseaba poseerlo. No obstante, adivinó la petición que sin duda venía con el diente.

—No, no. El diente de ballena es bello, pero... —se moría de ganas de tenerlo, pero se lo devolvió a Erirola con grandes disculpas.

Al amanecer del día siguiente, Starhurst ya estaba en pie, avanzando a grandes pasos por el sendero del monte con sus enormes botas de cuero, seguido de cerca por el fiel Narau. Adelante iba un guía desnudo que Mongondro les había facilitado con el fin de mostrarles la ruta hasta el pueblo vecino, adonde llegaron al mediodía. Allí los esperaba un nuevo guía. Casi dos kilómetros atrás, caminaba Erirola, pausada y pesadamente; llevaba el diente de ballena en un cesto colgado del hombro. Durante dos días siguió caminando detrás del misionero y ofreciendo el diente a los jefes de los pueblos por donde pasaba. Pero pueblo tras pueblo rechazó el amuleto. La oferta era tan inmediata a la llegada del misionero que todos adivinaron la petición que implicaba, y ninguno quiso saber nada de ella.

Se habían internado en la profundidad de las montañas, y Erirola siguió por un atajo secreto, se adelantó al misionero y llegó a la fortaleza del Buli de Gatoka. Ahora bien, el Buli no estaba enterado de la inminente llegada de John Starhurst. Además, el diente era bellísimo —un espécimen extraordinario—, y tenía las tonalidades más exquisitas. El diente fue presentado públicamente. El Buli de Gatoka, sentado en su mejor estera, rodeado de sus hombres más importantes y tres solícitos espantadores de moscas a la espalda, se dignó recibir de manos de aquel heraldo el diente de ballena que le brindaba Ra Vatu y que había traído a la montaña su primo Erirola. Estallaron aplausos cuando fue aceptado el obsequio, mientras los jefes allí reunidos, los heraldos y los espantadores de moscas gritaron en coro:

—¡A, woi, woi, woi! ¡A, woi, woi, woi! ¡A tabua levu, woi, woi! ¡A mudua, mudua, mudua!

—Pronto llegará un hombre, un hombre blanco —empezó a decir Erirola, después de una pausa apropiada—. Es un misionero y vendrá hoy. A Ra Vatu le gustaría tener sus botas. Desea regalárselas a su buen amigo Mongondro, y quisiera enviárselas con los pies adentro, pues Mongondro es ya un anciano y tiene los dientes estropeados. Asegúrate, oh gran Buli, de que los pies lleguen dentro de las botas. En cuanto al resto del misionero, puede quedar aquí.

La alegría en los ojos del Buli empezó a desvanecerse, y miró a su alrededor dubitativo. Sin embargo, ya había aceptado el diente.

—Una pequeñez como un misionero no tiene importancia —lo incitó Erirola.

—No, una pequeñez como un misionero no tiene importancia —repitió el Buli, otra vez dueño de sí mismo—. Mongondro tendrá las botas. Vayan al sendero, jóvenes, tres o cuatro de ustedes, a buscar al misionero. Y asegúrense de traer también las botas.

—Es demasiado tarde —interrumpió Erirola—. ¡Escuchen! ¡Ya viene!

De la espesura del monte apareció John Starhurst, seguido de cerca por Narau. Las famosas botas, que se habían llenado de agua al vadear el arroyo, soltaban pequeños chorros de agua a cada paso. Starhurst miró a su alrededor con ojos centelleantes. Exaltado por una fe inquebrantable, sin sombra de duda o recelo, se sentía alborozado por todo lo que veía. Sabía que desde los comienzos del tiempo era el primer hombre blanco que osaba poner el pie en la fortaleza inexpugnable de Gatoka.

Las chozas cubiertas de hierba se aferraban a las pendientes escarpadas de la montaña o sobresalían por encima del torrentoso Rewa. A cada lado se elevaba un inmenso precipicio. A lo más, tres horas de luz solar penetraban en el angosto desfiladero. No había cocos ni bananas en ninguna parte, aunque la vegetación densa y tropical lo invadía todo, cayendo de las aberturas abruptas de los precipicios como graciosos festones y extendiéndose por las salientes hendidas y agrietadas. En el extremo del desfiladero, el Rewa daba un gran salto de doscientos cincuenta metros en una sola arcada, mientras que la atmósfera de la fortaleza de piedra latía al ritmo tronador de la catarata.

John Starhurst vio salir al Buli y a sus seguidores de la casa del jefe.

—Le traigo buenas noticias —fue el saludo del misionero.

—¿Quién te manda? —inquirió el Buli, en voz baja.

—Dios.

—Es un nombre nuevo en Viti Levu —sonrió el Buli—. ¿De qué islas, poblados o desfiladeros es ese jefe?

—Es el jefe de todas las islas, poblados y desfiladeros —contestó John Starhurst, con solemnidad—. Es el Señor del Cielo y de la Tierra, y he venido a difundir Su palabra.

—¿Me envía por tu intermedio dientes de ballena? —preguntó el Buli, insolente.

—No, pero más valioso que los dientes de ballena es...

—Entre jefes esa es la costumbre —interrumpió el Buli—. O tu jefe es un negro, o tú eres un tonto por haberte atrevido a venir a las montañas con las manos vacías. Mira, otro mucho más generoso ha venido a verme antes que tú.

Y diciendo esto, le mostró el diente de ballena que acaba de recibir de Erirola.

De los labios de Narau salió un gemido.

—Es el diente de ballena de Ra Vatu —le susurró a Starhurst—. Lo conozco bien, y ahora sí que estamos perdidos.

—Un gesto muy amable de tu parte —respondió el misionero, pasándose la mano por la larga barba y acomodándose los lentes—. Ra Vatu ha dispuesto que seamos bien recibidos.

Pero Narau volvió a gemir, y se alejó con disimulo del hombre a quien había seguido con tanta fidelidad.

—Ra Vatu será Lotu dentro de poco tiempo —explicó Starhurst—, y he venido a traerte el Lotu a ti también.

—No quiero saber nada de tu Lotu —respondió el Buli, con orgullo—. Y he decidido que hoy mismo mueras bajo el peso de la maza.

El Buli le hizo una seña a uno de sus fornidos montañeses, que dio un paso hacia adelante, blandiendo una maza. Narau corrió a esconderse en la choza más cercana, con la intención de ocultarse entre las mujeres y las esteras. Pero John Starhurst se abalanzó hacia su ejecutor, por debajo de la maza, y le rodeó el cuello con los brazos. Desde esa posición ventajosa, continuó la discusión. Se jugaba la vida a través de sus argumentos —y lo sabía—, pero no sentía ni miedo ni excitación.

—Harías mal en matarme —le dijo al hombre—. No te he hecho daño, tampoco al Buli.

Se había agarrado con tanta fuerza al cuello del verdugo que nadie se atrevía a golpearlo con la maza. Y siguió aferrado al hombre y continuó defendiendo su vida ante los que clamaban por su muerte.

—Soy John Starhurst —siguió hablando con toda calma—. He trabajado en Fidji durante tres años, y no lo he hecho por dinero. Estoy aquí para hacer el bien. ¿Por qué quieres matarme? Mi desaparición no beneficia a nadie.

El Buli lanzó una mirada al diente de ballena. Le pagaban muy bien por la muerte del misionero.

El misionero estaba rodeado de un montón de salvajes desnudos que hacían grandes esfuerzos por agarrarlo. Pero retorcía y contorsionaba el cuerpo con tanta habilidad alrededor de su captor, que resultaba imposible asestarle el golpe mortal. Erirola se sonrió y el Buli entró en cólera.

—¡Fuera de aquí! —exclamó—. Linda historia para contar en la costa: una docena de hombres y un misionero, desarmado, tan débil como una mujer, puede más que todos ustedes.

—Espera, oh gran Buli —gritó John Starhurst entre forcejeo y forcejeo—, y yo mismo te venceré. Pues mis armas son la Verdad y la Justicia, y ningún hombre puede contra ellas.

—Entonces, ven a mí —contestó el Buli—. Pues mi arma es tan solo una maza insignificante y, como bien dices, no podrá contra ti.

El grupo se alejó de él, y John Starhurst se quedó solo frente al Buli, que se apoyaba en una maza enorme y llena de nudos.

—Ven, pues, misionero y vénceme —lo desafió el Buli.

—Así pues, me acercaré y te venceré —le respondió John Starhurst, limpiando sus lentes y poniéndolos a resguardo, mientras iniciaba el avance.

El Buli levantó la maza y esperó.

—En primer lugar, mi muerte no te beneficiará en absoluto —empezó a razonar.

—Dejaré que mi maza te responda —fue la contestación del Buli.

Y a cada argumento daba la misma respuesta, sin quitarle los ojos de encima al misionero con el fin de anticiparse al astuto avance por debajo de la maza alzada. Entonces, y por primera vez, John Starhurst supo que su muerte era inminente. No intentó el avance. Bajo el sol, con la cabeza descubierta, oró en voz alta. Era la misteriosa imagen del hombre blanco, ineludible e inevitable, que, con Biblia, bala o botella de ron, ha desafiado al sorprendido salvaje en su propio territorio. Así pues, en esa posición se hallaba John Starhurst en la fortaleza de piedra del Buli de Gatoka.

—Perdónalos porque no saben lo que hacen —rezó—. ¡Dios mío, ten piedad de Fidji! ¡Oh Jehová, oye nuestras voces en nombre del Señor, Tu Hijo, a quien nos enviaste para que todos los hombres pudieran convertirse en Tus hijos! ¡De Ti venimos y a Ti volveremos! Nos rodean las tinieblas en estas tierras, Oh Señor. Pero Tú eres todopoderoso y podrás salvarlas. Tiende Tu mano, Oh Señor, y salva a Fidji, salva a los pobres caníbales de Fidji.

El Buli empezó a impacientarse.

—Ahora te responderé —susurró, y al mismo tiempo blandió la maza con ambas manos.

Narau, oculto entre las mujeres y las esteras, oyó el impacto del golpe y se estremeció. Entonces resonó en las montañas el himno de la muerte, y mientras oía palabras de la funesta canción, supo que el cuerpo de su amado misionero era arrastrado al horno ardiente:

Arrástrame con suavidad; arrástrame con dulzura.
Pues soy el paladín de mis tierras.
¡Den las gracias! ¡Den las gracias! ¡Den las gracias!

Enseguida, una voz preguntó por encima de la algarabía:

¿Dónde está el hombre valiente?

Cien voces gritaron la respuesta:

Ha ido al horno ardiente para ser asado.

Inquirió el solista:

¿Dónde está el hombre cobarde?

Cien voces volvieron a gritar la respuesta:

¡Ha ido a contarlo! ¡Ha ido a contarlo! ¡Ha ido a contarlo!

Narau gimió angustiado. Las palabras de la vieja canción eran ciertas. Él era el cobarde, y no le quedaba otro remedio sino contar lo sucedido.

Joaquim Maria Machado de Assis

Misa de gallo

Nunca pude entender la conversación que tuve con una señora, hace muchos años. Yo tenía diecisiete años, y ella treinta. Fue en la víspera de Navidad. Como me había citado con un amigo para encontrarnos en la misa de gallo, preferí no dormir, así que acordamos que yo iría a despertarlo a la medianoche.

La casa en la que me hospedaba era la del escribano Meneses, casado, en primeras nupcias, con una prima mía. Su segunda mujer, Concepción, y la madre de ella me recibieron muy bien cuando llegué, meses atrás, de Mangaratiba a Río de Janeiro, para hacer el curso introductorio en la universidad. Mi vida era tranquila en esa casa de varios pisos en la Calle del Senado, con mis libros, pocas relaciones y algunos paseos. La familia no era muy numerosa: el escribano, su mujer, su suegra y dos esclavas. Costumbres tradicionales. A las diez de la noche, todo el mundo se iba a su habitación; a las diez y media, la casa dormía. Como yo nunca había ido al teatro, cada vez que le oía decir a Meneses que iba a una representación, le pedía que me llevara. En esas ocasiones la suegra hacía una mueca y las esclavas se reían a carcajadas. Él no decía nada, se vestía, salía y regresaba a la mañana siguiente. Luego me di cuenta de que el teatro era un eufemismo. Meneses estaba en amores con una señora, separada de su marido, y dormía fuera de casa una vez por semana. Concepción, al principio, sufrió mucho cuando se enteró de la existencia de la amante, pero al final acabó por resignarse, se acostumbró y terminó por creer que no era algo tan malo.

¡La buena Concepción! Le decían «la santa», y hacía honor al sobrenombre por la facilidad con que aguantaba el desdén de su marido. En realidad, era de temperamento moderado, sin extremos, sin lágrimas interminables ni muchas risas. Cualquiera hubiera dicho, en esos tiempos, que era una mahometana: hubiera aceptado un harén siempre y cuando guardara las apariencias. Dios me perdone si la juzgo mal. Todo en ella era mesurado y pasivo. Hasta el rostro era algo modesto: ni muy bonito ni muy feo. Era lo que se dice una persona agradable. No hablaba mal de nadie, lo perdonaba todo. No sabía odiar: es posible que no supiese amar tampoco.

Esa noche de Navidad, el escribano fue al teatro. Habrá sido por el año 1861 ó 1862. Yo debía estar en Mangaritiba de vacaciones, pero me quedé hasta Navidad para oír la «misa de gallo en la ciudad». La familia se fue a acostar, como de costumbre, y yo me dirigí al salón de la entrada, vestido y listo. De ahí debía ir al vestíbulo para salir de la casa sin despertar a nadie. Había tres llaves de la puerta principal: una la tenía el escribano, la otra me la iba a llevar yo y la tercera quedaba en la casa.

—Pero, señor Nogueira, ¿qué va a hacer durante tantas horas? —me preguntó la madre de Concepción.

—Leer, doña Ignacia.

Tenía en mi poder una novela, *Los tres mosqueteros*, en una vieja traducción, me parece, del *Jornal do Comércio*. Me senté ante la mesa que estaba en el medio del salón, y a la luz de un candelero de kerosene, en cuanto la casa se durmió, monté una vez más el esbelto corcel de D'Artagnan y partí en busca de aventuras. Al poco rato, estaba ebrio de Dumas. Los minutos volaron, lo que no sucede cuando se tiene que esperar; casi sin darme cuenta sonaron las once. Entonces, un ligero rumor que provenía del interior de la casa me interrumpió la lectura. Se trataba de pasos que iban del salón de visitas al comedor. Levanté la cabeza y vi asomarse, por el marco de la puerta, a doña Concepción.

—¿No se ha ido todavía? —me preguntó.

—No, me parece que todavía no es medianoche.

—¡Qué paciencia!

Entró en la sala, arrastrando las pantuflas. Vestía una bata blanca, mal atada en la cintura. Como era delgada, parecía una aparición romántica, lo que iba muy bien con mi libro de aventuras. Cerré la novela; doña Concepción se sentó en la silla que estaba frente a mí, junto al canapé. Cuando le pregunté si la había despertado sin querer, por hacer mucho ruido, me respondió de inmediato:

—¡No, para nada! Solo me desperté.

La miré con detenimiento y dudé de su respuesta. Esos ojos no parecían los de alguien que se acababa de despertar; más bien, daba la impresión de no haber dormido en ningún momento. Pero pronto deseché la idea, que hubiera tenido un significado distinto de tratarse de otra persona, sin sospechar que tal vez yo fuese la causa de que no durmiera y que me estuviese mintiendo para no causarme un disgusto. Ya he dicho que era buena, muy buena.

—Pero pronto será la hora —le dije.

—¡Qué paciencia la suya de esperar despierto, mientras su vecino duerme! ¡Y esperar solo! ¿No le dan miedo las almas del otro mundo? Me di cuenta de que se asustó al verme.

—Me pareció raro oír pasos, pero entonces se apareció usted.

—¿Qué cosa estaba leyendo? No me diga, ya sé: la novela de los *Mosqueteros*.

—Justamente. Es muy buena.

—¿Le gustan las novelas?

—Sí, mucho.

—¿Ya leyó A moreninha?

—¿Del doctor Macedo? La tengo en Mangaratiba.

—A mí me encantan las novelas, pero leo poco, por falta de tiempo. ¿Cuáles ha leído usted?

Le nombré algunas. Concepción me escuchó, con la cabeza apoyada en el respaldo y los ojos entrecerrados, mirándome con atención. De vez en cuando se humedecía los labios con la lengua. Cuando terminé de hablar, no dijo nada: estuvimos así por unos segundos. Luego alzó la cabeza, cruzó los dedos y se apoyó sobre las manos con los codos apoyados en los brazos de la silla, sin quitarme en ningún momento los enormes ojos de encima.

«Debe estar aburrida», pensé. Luego, dije:

—Doña Concepción, creo que ya debe de ser la hora, y yo...

—No, no, todavía es temprano. Acabo de ver el reloj, son las once y media. Tiene tiempo. ¿Puede usted mantenerse despierto durante el día cuando no ha dormido por la noche?

—Lo he hecho.

—Yo no. Cuando me quedo despierta una noche, al otro día no puedo mantenerme en pie, y tengo que dormir al menos media hora. Será que me estoy poniendo vieja.

—¡Cómo que vieja, doña Concepción!

Pronuncié estas palabras con tal energía que la hice sonreír. Por costumbre, sus gestos eran lentos y mantenía una actitud tranquila; sin embargo, en ese momento se levantó con rapidez, se dirigió hacia el otro lado del salón y dio algunos pasos entre la ventana de la calle y el despacho de su marido. Su desaliño decoroso me produjo una singular impresión. A pesar de ser delgada, se contoneaba al caminar, como si le costara llevar el peso de su cuerpo; antes de esa noche, nunca me pareció tan llamativo ese gesto en ella. Por momentos se detenía y examinaba una parte de la cortina o acomodaba algún adorno del aparador. Por fin se detuvo, frente a mí, con la mesa entre nosotros. No era muy amplio el alcance de sus ideas: volvió a sorprenderse de verme despierto, esperando. Le repetí lo que ella ya sabía, es decir, que nunca había oído una misa de gallo en la ciudad, y que no me la quería perder.

—Es igual que en el campo; todas las misas se parecen.

—Seguro, pero aquí debe de ser más lujosa, y con más gente. Mire usted cómo la Semana Santa en la ciudad es más bonita que en el campo. No le digo la fiesta de San Juan o de San Antonio…

Poco a poco, volvió a reclinarse: apoyó los codos sobre el mármol de la mesa y se tapó la cara con las palmas abiertas. Como no tenía abotonadas las mangas, estas cayeron con naturalidad y pude verle la mitad de los brazos, muy blancos, no tan delgados como había pensado. No era la primera vez que veía algo así, si bien no era algo tan común: pero en ese momento, sin embargo, me dio una gran impresión. Sus venas eran tan azules que, a pesar de la poca luz, podía contarlas desde mi asiento. La presencia de Concepción fue más fascinante que mi libro. Seguí diciendo lo que pensaba sobre las fiestas del campo y de la ciudad, y muchas cosas más que se me vinieron a la cabeza.

Hablaba mezclando los temas, sin saber por qué, variando las anécdotas y volviendo al tema anterior; reía para que sonriera y me mostrara los dientes, blancos y parejos. No tenía los ojos negros, pero sí oscuros: la nariz, delgada y larga, era un tanto curva y le daba al rostro un aire interrogativo. Cuando alzaba un poco la voz, me reprendía:

—¡Más bajo! Mamá se puede despertar.

Y mantenía su posición, lo cual me llenaba de gusto, porque nuestras caras estaban a poca distancia. En realidad, no era necesario alzar la voz para que me escuchara: estábamos cuchicheando, yo más que ella, porque yo hablaba más. A veces se ponía seria, muy seria, con la cabeza algo inclinada. Al final, se cansó y cambió de actitud y de lugar. Fue hasta el otro lado de la mesa y se sentó a mi lado, en el canapé. Cuando me di vuelta, logré ver de reojo la punta de sus pantuflas, pero solo durante el segundo que tardó en sentarse, ya que pronto la larga bata las cubrió por completo. Recuerdo que eran negras. Concepción me dijo, en voz bajita:

—Mamá está lejos pero tiene un sueño muy ligero; si llegara a despertarse, la pobre, no podrá volver a dormir.

—Yo soy igual.

—¿Cómo? —preguntó, reclinando el cuerpo para oírme mejor.

Fui a sentarme en la silla que estaba al lado del canapé y le repetí la frase. Se rio por la coincidencia. A ella también le pasaba: éramos tres de sueño ligero.

—En ocasiones yo soy como mamá: cuando me despierto, me cuesta volver a dormirme. Doy vueltas en la cama, me levanto, enciendo una vela, paseo, vuelvo a acostarme, pero nada.

—Como le pasó esta noche.

—No, no —replicó.

No entendí la negativa; quizá ella tampoco la entendiese. Las puntas del cinturón de la bata le rozaron las rodillas; mejor dicho, la rodilla derecha, porque acababa de cruzar las piernas. Luego me contó un sueño y me aseguró que había tenido una sola pesadilla, cuando niña. Me preguntó si yo tenía pesadillas. La charla se fue hilvanando así, con lentitud y por largo rato, sin que me diera cuenta de la hora o de la misa. Siempre que acababa alguna historia o una explicación, ella me hacía otra pregunta sobre un tema distinto, y yo tomaba de nuevo la palabra. De cuando en cuando, me advertía:

—Más bajo, más bajo…

Hubo pausas, también. En dos o tres ocasiones pensé que se iba a quedar dormida; pero después de cerrar los ojos por un instante, los abría de nuevo sin sueño ni fatiga, como si los hubiera entornado para ver mejor. En una de esas ocasiones creo que se dio cuenta de lo absorto que estaba en su persona, y los volvió a cerrar, no sé si con rapidez o lentitud. Algunas imágenes de esa noche me parecen ahora indefinidas y confusas. Me contradigo y me enredo. Una que tengo fresca en la memoria es que, en un momento, ella, que apenas era agradable, se volvió bella, bellísima. Estaba de pie con los brazos cruzados: yo, por respeto hacia ella, me quise levantar, pero no me dejó. Me puso la mano en el hombro y me obligó a quedarme sentado. Pensé que iba a decirme alguna cosa, pero se estremeció, como si tuviese escalofríos; me dio la espalda y volvió a la silla, donde yo había estado leyendo. Desde ahí alzó la vista al espejo que se encontraba sobre el canapé y señaló dos grabados que colgaban de la pared.

—Esos cuadros están viejos. Ya le pedí a Chiquinho que comprara otros.

Chiquinho era su marido. Los cuadros mostraban el interés principal de aquel hombre. Uno representaba a Cleopatra: no recuerdo el tema del otro, pero ambos eran de mujeres. Los dos eran vulgares: en aquella época no me parecían muy feos.

—Son bonitos —dije.

—Son bonitos, pero están manchados. Y, hablando con franqueza, hubiera preferido que fueran dos imágenes de santas. Estas son más apropiadas para la habitación de un muchacho o el salón de un barbero.

—¿Un barbero? Usted nunca ha ido al salón de un barbero.

—Pero me imagino que los clientes, mientras esperan, hablan de mujeres y de amoríos, y es natural que el dueño del local les alegre la vista con figuras atractivas. Pero no es apropiado para una casa de familia. Es lo que pienso; pero yo suelo pensar cosas raras como esa. Sea como fuere, no me gustan los cuadros. Tengo una imagen de Nuestra Señora de la Concepción, mi madrina, que es muy linda. Pero es una escultura, no puedo colgarla en la pared, ni tampoco quiero. La tengo en mi oratorio.

La idea de oratorio me recordó la misa; pensé que debía de ser tarde y quise decírselo. Creo que logré abrir la boca, pero pronto la cerré para escuchar lo que me contaba, con una dulzura, gracia y languidez tales que llenaban mi alma de pereza y me hacían olvidar la misa y la iglesia. Habló de sus devociones de niña y de jovencita. Luego contó unas anécdotas de baile, historias de paseos, sus recuerdos de Paquetá, todo junto, casi sin interrupción. Cuando se cansó del pasado, habló del presente, de las tareas de la casa, del trabajo que daba la familia, que antes de casarse le habían dicho que era mucho, pero que en realidad no era nada. No me lo dijo, pero yo sabía que se había casado a los veintisiete años.

No cambiaba de lugar, como al principio, y mantenía la misma actitud. No tenía ya los enormes ojos entrecerrados. Comenzó a pasear la mirada por las paredes.

—Tenemos que cambiar el empapelado de la sala —anunció, después de un rato, como hablando consigo misma.

Le di la razón, por decir cualquier cosa, para salir de esa especie de sueño magnético, o lo que haya sido, que me trababa la lengua y refrenaba los sentidos. Quería y no quería terminar la charla: hacía esfuerzos por apartar los ojos de ella, y los desviaba por un sentimiento de respeto; pero la idea de que pudiera parecer antipatía, aunque no lo fuera, me obligaba a fijarlos de nuevo en Concepción. La conversación decaía. En la calle, el silencio era absoluto.

Por un momento (no puedo decir cuánto), llegamos a quedarnos totalmente callados. El único rumor era el débil roer de un ratón en el despacho de su marido, lo que me sacudió de esa especie de somnolencia. Quise mencionarlo, pero no supe cómo. Concepción empezaba a divagar. De súbito, oí unos golpecitos en la ventana, desde la calle, y una voz que gritaba: «¡Misa de gallo! ¡Misa de gallo!».

—Ahí está su amigo —dijo, mientras se ponía de pie—. Qué gracioso, usted era el que debía ir a despertarlo, y es él quien lo despierta a usted. Vaya, que ya debe de ser la hora. Adiós.

—¿Será la hora? —pregunté.

—Por supuesto.

—¡Misa de gallo! —repitieron desde afuera, dando otro golpecito.

—Vaya, vaya, no se haga esperar. Fue culpa mía. Adiós, hasta mañana.

Y con el mismo contoneo, Concepción se dirigió por el pasillo hacia el interior de la casa, con paso suave. Salí a la calle y me encontré con el vecino, que me esperaba. Fuimos a la iglesia. Durante la misa, la imagen de Concepción se interpuso más de una vez entre el cura y yo; después de todo, yo tenía diecisiete años. A la mañana siguiente, durante el almuerzo, hablé de la misa de gallo y de la gente que estaba en la iglesia, pero no noté que se despertara la curiosidad ni el interés de Concepción. Durante el día, la vi comportarse como siempre, natural y bondadosa, sin nada que nos recordara la conversación de la noche anterior. Para el Año Nuevo fui a Mangaratiba. Cuando volví a Río de Janeiro, el escribano había muerto de apoplejía. Concepción vivía en Engenho Novo, pero no la visité ni me la encontré. Me enteré, más adelante, de que se había casado con el escribiente que sucedió a su marido.

Katherine Mansfield

El viejo Underwood

El viejo Underwood bajaba con paso solemne por la colina ventosa. Llevaba un paraguas negro en una mano y en la otra, un pañuelo anudado de lunares rojos y blancos. Tenía puesta una gorra negra con visera como las que usan los pilotos. En las orejas le brillaban dos pendientes de oro y sus ojos pequeños restallaban como chispas. Y como chispas fulguraban en la ira latente de su rostro barbudo. A un lado de la colina se extendía un bosque de pinos que bajaba del camino al mar. En el otro lado crecían matas de hierba y pequeños arbustos *manuka* de flores blancas. Las ramas más altas de los pinos rugían como las olas y los troncos crepitaban como maderas de barco. Las flores blancas de *manuka* volaban por el aire ventoso.

—¡Aaaah! —gritaba el viejo Underwood, agitando el paraguas contra el viento que lo abrumaba, azotándolo y casi estrangulándolo con la capa negra.

—¡Aaaah! —bramaba el viento cien veces más fuerte, llenándole la boca y la nariz de polvo.

En el pecho del viejo Underwood algo retumbaba como un martillo: uno, dos... uno, dos... sin parar, siempre igual. No podía hacer nada. No era fuerte. No, no hacía ningún ruido, solo era un golpe sordo. Uno, dos... uno, dos... como si alguien golpeara los grillos en una prisión, alguien en un lugar secreto… bang… bang… bang…, intentando liberarse. Hiciera lo que hiciera, no podía ahogar el ruido, aunque tratara de acomodarse el sobretodo, estirar los brazos, escupir o maldecir. ¡Para! ¡Para! ¡Para! ¡Para! El viejo Underwood empezó a correr, arrastrando los pies. Más abajo, el mar rompía contra el muro de piedra y el pequeño pueblo se arremolinaba fuera de su alcance para enfrentar mejor las aguas grises. Y más arriba, al otro lado de la colina, se levantaba la prisión de altos muros rojos.

Por encima se extendía el cielo gris, tapado con nubes negras torrentosas, parecidas a telarañas. El viejo Underwood empezó a disminuir el paso a medida que se acercaba al pueblo; y cuando llegó a la primera casa, blandió el paraguas como si fuera el bastón de un heraldo y sacó pecho, mientras movía la cabeza rápidamente de derecha a izquierda. Las casas en las afueras del pueblo eran pequeñas y feas, y estaban hechas de madera; tenían dos ventanas y una puerta, una veranda angosta y una franja verde de hierba al frente. Varias gallinas amarillas se acurrucaban debajo de la veranda para resguardarse del viento.

—¡Fuera! —gritó el viejo Underwood, y se rio al verlas huir, y volvió a reírse cuando la mujer salió a la puerta y lo amenazó con un puño rojizo enjabonado. En otro patio una niña trataba de bajar unos harapos de la cuerda de tender ropa. Cuando vio al viejo Underwood, dejó caer el palo del tendal y corrió dando alaridos hacia la puerta. Empezó a golpearla mientras gritaba: «¡Mamá! ¡Mamá!». Con los chillidos volvió el martilleo en el pecho del viejo Underwood. ¡Mamá! ¡Mamá! Vio otra vez el rostro envejecido con el mentón tembloroso y cabellos canos que asentía desde la ventana mientras se lo llevaban a rastras. ¡Ma… má! ¡Ma… má! Miró hacia la enorme prisión roja, encaramada en la cima de la colina, y puso cara de querer soltar el llanto.

En la esquina, frente a la taberna, se habían detenido varias carretas, y algunos hombres sentados en el porche bebían y conversaban. El viejo Underwood quería un trago. Entró con indolencia en el bar. Estaba casi lleno de jóvenes y viejos, con largos sobretodos, botas altas, y látigos en la mano para arrear ganado. Detrás de la barra una joven robusta y pelirroja servía la cerveza y trataba a los hombres con descaro. El viejo Underwood se escurrió a un costado como un gato. Nadie lo miró. Los hombres solo se miraron entre sí, y uno o dos se codearon. La muchacha asintió y le guiñó el ojo al tipo al que estaba atendiendo. El viejo sacó dinero de su pañuelo anudado y lo deslizó por la barra. Le temblaba la mano. No habló. La joven no se fijó en él, les sirvió a todos y siguió con su charla, y entonces, como por casualidad, le empujó una jarra de cerveza. Sobre la barra había un enorme jarrón lleno de claveles rojos. El viejo Underwood los miraba fijo mientras bebía, y frunció el ceño. ¡Rojo… rojo… rojo… rojo!, golpeaba el martillo. Hacía calor en el bar y estaba tan quieto como un estanque, salvo por la charla y la joven. La muchacha seguía riéndose. ¡Ja! ¡Ja! Eso les gustaba a los hombres, pues la joven echó la cabeza hacia atrás, y sus grandes senos se levantaron y se sacudieron al ritmo de sus carcajadas.

Había un extraño sentado en un rincón. Señaló al viejo Underwood.

—¡Chiflado! —dijo uno de los hombres—. Cuando era joven, hace treinta años, un hombre de por aquí se cogió a su mujer. El tipo se enteró y la mató. Pasó veinte años en la cárcel, allá arriba. Salió chiflado.

—¿Quién se la cogió? —preguntó un hombre—. No sé. Él tampoco. Nadie lo sabe. Era marinero hasta que se casó con ella. ¡Chiflado! —el hombre escupió y esparció la saliva por el suelo, encogiéndose de hombros—. Es inofensivo.

El viejo Underwood los oyó. No se dio vuelta, pero alargó la mano parecida a una garra y aplastó los claveles rojos.

—¡Eh! ¡Eh! ¡Animal! ¡Eh! ¡Canalla! —gritó la muchacha, inclinándose sobre la barra y pegándole con un jarro de lata—. ¡Fuera de aquí! ¡Lárguese! ¡No venga por aquí nunca más!

Alguien lo pateó; se escurrió como una rata. Caminó delante de las tiendas de los chinos. Las frutas y las verduras estaban apiladas contra las ventanas. Esparcidos por la vereda había pedazos de cajones de madera, paja y periódicos viejos. Una mujer salió enojada de una tienda y le desparramó un balde de basura a sus pies. El viejo Underwood se acercó a mirar por las vidrieras y vio a los chinos sentados en pequeños grupos sobre viejos barriles jugando a las cartas. Lo hicieron sonreír. Se quedó mirando, con la cara contra el vidrio y riendo tontamente. Estaban sentados muy quietos con sus largas coletas alrededor de la cabeza y las caras amarillas como limones. Algunos llevaban cuchillos en el cinturón, y un viejo estaba sentado solo en el suelo, retorciendo los dedos encorvados y largos de los pies. A los chinos no les importaba la presencia del viejo Underwood. Cuando lo vieron, hicieron un gesto de asentimiento. Fue hasta la puerta de la tienda y la abrió con cautela. Y entró una ráfaga de viento que dispersó las cartas.

—¡Ya, ya! ¡Ya, ya! —gritaron los chinos, y el viejo Underwood salió corriendo, mientras el martillo golpeaba rápido y con fuerza. ¡Ya, ya!

Desapareció a la vuelta de la esquina. Creyó oír a uno de los chinos detrás de él, y se escurrió dentro de una maderería. Empezó a jadear... Cerca, debajo de otra pila de madera, había un montón de virutas amarillas. Mientras las observaba comenzaron a moverse y se apareció un gatito gris, moviendo la cola. Caminó con delicadeza hacia el viejo Underwood y se frotó contra su manga. El martillo en el corazón del viejo Underwood empezó a latir como loco. Le latió con violencia en la garganta, pero al rato empezó a calmarse y a palpitar muy, muy débilmente. «¡Gatito! ¡Gatito! ¡Gatito!» Así solía llamar ella al gatito que le trajo del barco —¡Gatito! ¡Gatito! ¡Gatito!—, y luego se agachaba con el plato en las manos. «¡Ay, Dios mío! ¡Ay, Señor!» El viejo Underwood se incorporó, tomó al gatito entre los brazos y empezó a mecerse de atrás para adelante, mientras apretaba al gatito contra su cara. Era suave y cálido, y maullaba apenas. El viejo hundió los ojos en el pelo del animal. ¡Dios mío! ¡Señor! Acomodó al gatito entre los pliegues del sobretodo, salió de la maderería y caminó con indolencia hacia los muelles. Conforme se acercaba al mar, se le dilataban las aletas de la nariz. El viento enfurecido olía a sogas y brea, y a sal y légamo. Cruzó las vías del tren, se deslizó detrás de las barracas del muelle y siguió por un pequeño sendero de cenizas que se abría paso a través de una parcela de hinojos malolientes hacia las tuberías de piedra que arrojaban las aguas servidas al mar. Miró hacia los muelles y hacia los barcos con banderas que ondeaban al viento, y de pronto las viejas, viejas ansias se apoderaron del viejo Underwood.

—¡Lo haré! ¡Lo haré! ¡Lo haré! —murmuró.

Se arrancó el gatito del sobretodo, lo balanceó de la cola y lo lanzó a la boca de la cloaca. El martillo golpeaba con fuerza. Levantó orgulloso la cabeza. Era joven otra vez. Siguió caminando hacia los muelles, más allá de los fardos de lana, de los ociosos y los haraganes, hasta el final del embarcadero. El mar succionaba las vigas del muelle como si bebiera algo de la tierra. Uno de los barcos estaba cargando lana. Oyó el ruido ronco de una grúa y el chillido de un silbato. Al fin llegó al pequeño barco separado del resto, con un tablón a modo de plancha, y no había señales de nadie… de nadie en absoluto. El viejo Underwood miró una vez más hacia el pueblo, hacia la prisión posada en la colina como un pájaro rojo y hacia las enmarañadas nubes negras movedizas. Y entonces subió por la plancha hasta la cubierta resbalosa. Se sonrió y empezó a bambolearse, agitando el pañuelo rojo y blanco con la mano en alto. ¡Su barco! ¡Mío! ¡Mío! ¡Mío!, golpeaba el martillo. A sotavento, había una puerta entreabierta en la que se leía «Camarote». Miró adentro. Un hombre dormía en una litera, su litera, un hombre grandote con un gabán de marinero y una larga barba y pelo rubio desparramado sobre la almohada roja. Y mirándolo desde la pared resplandecía su retrato —el retrato de su mujer—, sonriente y sonriéndole al hombre grandote que yacía dormido.

Guy de Maupassant
El ladrón

—Les aseguro que no me van a creer.

—De cualquier modo, anda, cuéntalo.

—Está bien. Pero, antes de empezar, quiero que sepan que mi historia es verdadera hasta el mínimo detalle, por más inverosímil que parezca. Solo los pintores no se sorprenderían, en especial los viejos que conocieron aquella época en la que el espíritu bromista tenía tanto poder sobre nosotros que nos obsesionaba incluso en las situaciones más serias.

Y el viejo artista se sentó, con una pierna a cada lado de la silla.

Todo esto sucedía en el comedor de un hotel de Barbizon.

—Bueno, pues —continuó—. Esa noche habíamos cenado en la casa del pobre Sorieul, que ya murió, y que era el más apasionado de nuestro grupo. Éramos tres: Sorieul, yo y Le Poittevin, me parece; aunque no me atrevería a afirmar que el tercero fuera él. Me refiero, como se habrán dado cuenta, a Eugène Le Poittevin, el marino, que también ha muerto, y no al paisajista, que vive y sigue siendo tan talentoso como siempre.

»Decir que cenábamos en casa de Sorieul significa que estábamos borrachos. El único que se mantenía lúcido era Le Poittevin, un poco mareado, sí, pero consciente al fin y al cabo. Éramos jóvenes en esa época. Tendido sobre las alfombras, en la pequeña habitación que daba al taller, conversábamos de las cosas más estrafalarias. Sorieul, recostado de espaldas y con las piernas sobre una silla, hablaba de batallas, discurría sobre los uniformes del Imperio, y en un momento se levantó, fue hasta su enorme armario repleto de accesorios, sacó una guerrera de húsar y se la puso. Entonces, le exigió a Le Poittevin que se vistiera de granadero. Como este se resistía, los dos lo agarramos por la fuerza, lo desnudamos y le pusimos un inmenso uniforme que casi lo tapó por completo.

»Yo me disfracé de coracero. Entonces, Sorieul nos hizo ejecutar una complicada serie de movimientos. Luego gritó: «Ya que esta noche somos soldados, ¡tenemos que beber como soldados!».

»Le prendimos fuego a un ponche, lo bebimos, y entonces, por segunda vez, el fuego se elevó sobre el tazón lleno de ron. Nos pusimos a cantar a los gritos canciones antiguas, las mismas que vociferaron alguna vez los soldados veteranos del gran ejército.

»De pronto, Le Poittevin, que a pesar de todo mantenía la lucidez, nos dijo que nos calláramos; un par de segundos después, dijo, en voz baja: «Estoy seguro de haber oído pasos en el taller». Sorieul se puso de pie como pudo y gritó: «¡Un ladrón! ¡Qué suerte!», y comenzó a entonar la Marsellesa: *¡A las armas, ciudadanos…!*

»Se precipitó hacia una panoplia y tomó varias armas con las que nos equipó según nuestros uniformes: a mí me tocó una especie de mosquete y un sable; a Le Poittevin, un enorme fusil con bayoneta, y Sorieul, como no encontró lo que necesitaba, tomó una pistola de arzón, que se colocó en la faja que llevaba en la cintura, y empuñó un hacha de abordaje. Con mucha precaución abrió la puerta del taller y el ejército entró en territorio incierto.

»Ya en el centro de la enorme habitación atestada de largos lienzos, muebles y otros objetos singulares e inesperados, Sorieul dijo: «Me proclamo general. Tengamos un consejo de guerra: tú, los coraceros, debes evitar la retirada del enemigo, es decir, debes cerrar la puerta con llave. Tú, los granaderos, serás mi escolta».

»Procedí con la maniobra que me habían ordenado y luego regresé al grueso del ejército, que realizaba el reconocimiento del lugar.

»Cuando estaba a punto de atrapar al ladrón detrás de un biombo enorme, estalló un ruido espantoso. Me levanté, con la vela siempre en la mano. Le Poittevin acababa de atravesar con la bayoneta el pecho de un maniquí, al que Sorieul le destrozó la cabeza a hachazos. Tras reconocer el error, el general dijo: «Seamos prudentes», y continuamos con la operación.

»Después de veinte minutos de registrar hasta el último rincón del taller sin el menor éxito, a Le Poittevin se le ocurrió abrir el enorme armario. Era profundo y oscuro. Levanté el brazo para iluminarlo con la vela y retrocedí estupefacto: había un hombre allí, un hombre de carne y hueso que me miraba. De inmediato, volví a cerrar la puerta del armario, di dos vueltas a la llave y celebramos un nuevo consejo.

»Las opiniones fueron dispares. Sorieul quería ahogar al ladrón con humo. Le Poittevin decía que lo mejor era matarlo de hambre. Por mi parte, propuse volar el armario con pólvora.

»Al final, prevaleció la idea de Le Poittevin, y, mientras montaba guardia con su enorme fusil, los demás fuimos a buscar nuestras pipas y lo que quedaba del ponche. Nos instalamos, pues, frente a la puerta cerrada, y bebimos a la salud de nuestro prisionero.

»Media hora después, Sorieul dijo: «No importa. Me

gustaría verlo de cerca. ¿Qué tal si lo sacamos a la fuerza?».

»Exclamé: «¡Muy bien!». Nos lanzamos sobre las armas, abrimos la puerta, y Sorieul, blandiendo la pistola de arzón descargada, fue el primero en acercarse.

»Lo seguimos, dando gritos. Fue un espantoso estrépito en la sombra; cinco minutos después de una lucha increíble, sacamos de la oscuridad a una especie de viejo bandido, canoso, mugriento y vestido con harapos.

»Lo atamos de pies y de manos, y lo sentamos en un sillón. No dijo una palabra.

»Luego, Sorieul, con una embriaguez espectacular, se volvió hacia nosotros: «Ahora tenemos que juzgar a este miserable».

»Yo estaba tan borracho que la propuesta me pareció completamente normal.

»Le Poittevin se encargó de la defensa, y yo, de presentar la acusación. Fue condenado a muerte por amplia mayoría, menos un voto, el de su defensor.

»«Ejecutémoslo», dijo Sorieul. Pero de pronto se vio atacado por un escrúpulo: «Este hombre no puede morir privado del auxilio de la religión. ¿Por qué no va alguien a buscar un sacerdote?».

»Protesté, diciendo que era muy tarde. Entonces, Sorieul propuso que fuera yo quien hiciera las veces del cura, y le aconsejó al criminal que me confesara todo.

»Pasaron cerca de cinco minutos. El hombre miró a todos lados con ojos de terror, como preguntándose con qué clase de personas se había encontrado. Y entonces murmuró, con voz áspera y desgastada por el alcohol: «Se están burlando de mí, señores».

»Sorieul lo obligó a arrodillarse y, por si no lo habían bautizado sus padres cuando niño, le vertió sobre la cabeza un vaso de ron.

»Luego dijo: «Confiésate con el señor, que te llegó la hora».

»Desesperado, el viejo pillo comenzó a gritar «¡Socorro!» con tal fuerza que tuvimos que amordazarlo para no despertar a los vecinos. Empezó a rodar por el suelo, retorciéndose y pegando patadas: tiró abajo algunos muebles y rompió varios lienzos. Por fin, Sorieul gritó, con impaciencia: «¡Terminemos con él!», y apuntando al pobre sujeto tendido en el suelo, apretó el gatillo de la pistola. El percutor golpeó con un ruido seco. Siguiendo su ejemplo, también disparé. Como mi fusil era de chispa, produjo un destello que me sorprendió.

»Le Poittevin, muy serio, pronunció entonces las siguientes palabras: «¿Tenemos derecho acaso de matar a este sujeto?».

»Sorieul, estupefacto, le respondió: «¡Lo hemos condenado a muerte!».

»Pero Le Poittevin continuó: «No se debe fusilar a un civil. De eso se encarga el verdugo. Debemos llevarlo al cuartel».

»El argumento nos pareció irrefutable. Levantamos al hombre, y como no podía caminar, lo colocamos sobre una tabla de madera, lo atamos con fuerza, y Le Poittevin y yo lo cargamos, mientras Sorieul, armado hasta los dientes, cerraba la marcha.

»Al llegar al cuartel, nos detuvo el centinela. Le avisaron al jefe de guardia, que nos reconoció, y como estaba acostumbrado a nuestras farsas cotidianas, a nuestras bromas pesadas y a nuestros juegos inverosímiles, se contentó con reírse y rechazar a nuestro prisionero.

»Sorieul insistió. Pero los soldados nos recomendaron con severidad que nos retiráramos sin armar escándalo.

»La tropa se puso en marcha y volvió al taller. «¿Qué vamos a hacer con el ladrón?», pregunté.

»Le Poittevin, conmovido, dijo que sin duda estaba muy cansado, el pobre. En efecto, parecía agonizar, atado con ligaduras y amordazado sobre la plancha de madera.

»Me sentí invadido por una profunda compasión, compasión de borracho, y, quitándole la mordaza, le pregunté: «Bueno, pobre viejo… ¿cómo te sientes?».

»«¡Ya basta, maldita sea!», gimió. Incluso Sorieul se sintió conmovido. Le quitó las cuerdas, lo sentó y lo tuteó. Para reconfortarlo, fuimos enseguida a preparar otro ponche. El ladrón, más tranquilo, nos miraba sentado en el sillón. Cuando la bebida estuvo lista, le acercamos un vaso (incluso le hubiéramos sostenido la cabeza) y brindamos.

»El prisionero bebió por todo un regimiento. Pero como se acercaba el alba, se levantó y dijo con absoluta calma: «Tendré que irme, señores, pues debo volver a mi casa».

»Nos pusimos muy tristes. Le rogamos que no se fuera, pero se negó a quedarse más tiempo.

»Le dimos la mano, y Sorieul le alumbró el vestíbulo con la vela mientras le gritaba: «¡Cuidado al pasar por la puerta cochera!».

Todos reímos cuando terminó el relato. El hombre se levantó, encendió su pipa, y agregó, de pie ante nosotros:

—Pero lo más divertido de mi historia es que es cierta.

21 de junio de 1882

O. Henry
Una tragedia en Harlem

La señora Fink fue a visitar a la señora Cassidy al departamento del piso de abajo.

—¿No es una belleza? —dijo la señora Cassidy.

Llena de orgullo dio vuelta la cara para que su amiga pudiera verla. Lucía un ojo semicerrado con una gran magulladura violácea alrededor. Del labio cortado le brotaba un poco de sangre, y a ambos lados del cuello tenía marcas rojas de dedos.

—A mi marido nunca se le ocurriría hacerme algo así —respondió la señora Fink, ocultando su envidia.

—No viviría con un hombre —declaró la señora Cassidy— que no me golpeara por lo menos una vez por semana. Eso quiere decir que le importas. Pero, caramba, la última dosis que me dio Jack no fue homeopática en absoluto. Todavía veo las estrellas. De todos modos, el resto de la semana se va a comportar como el hombre más maravilloso del mundo para compensarme. Este ojo bien vale un par de buenas entradas al teatro y una blusa de seda, por lo menos.

—Confío —dijo la señora Fink, adoptando cierta complacencia— en que el señor Fink es demasiado caballeroso como para levantarme la mano.

—¡Ay, vamos, Maggie! —se rio la señora Cassidy, mientras se ponía un poco de agua de hamamelis en las heridas para bajar la hinchazón—. Me parece que estás celosa. Tu hombre es demasiado estirado y aburrido como para darte una paliza. Lo único que sabe hacer es sentarse y practicar educación física con el periódico cuando llega a casa. ¡No me digas que no es la pura verdad!

—Por supuesto que el señor Fink lee con atención los periódicos cuando llega a casa —reconoció la señora Fink, con un movimiento de cabeza—, pero de ningún modo pretende convertirme en un boxeador como Steve O'Donnell solo para divertirse, te lo puedo asegurar.

La señora Cassidy lanzó la carcajada de satisfacción del ama de casa feliz y protegida. Y como Cornelia cuando exhibía sus joyas, se bajó el cuello del kimono y mostró otra contusión muy apreciada de color pardusco, con bordes oliváceos y anaranjados, una magulladura ya casi curada del todo, pero aún viva en la memoria.

La señora Fink se dio por vencida. La luz severa en sus ojos se suavizó y adquirió un toque de admiración envidiosa. La señora Cassidy y ella habían sido íntimas amigas en la fábrica de cajas de cartón del centro comercial de la ciudad antes de casarse, un año atrás. Ella y su hombre ocupaban entonces el departamento ubicado justo encima del de Mame y su hombre. Así pues, no podía darse ínfulas con Mame.

—¿No te duele cuando te pega? —preguntó la señora Fink, con curiosidad.

—¡Dolerme! —la señora Cassidy dio un grito agudo de placer, en tono de soprano—. Bueno, a ver…, ¿alguna vez te cayó encima una pared de ladrillos? Pues así es como se siente… como cuando te empiezan a sacar de entre los escombros. La izquierda de Jack significa dos matinés y un nuevo par de zapatos estilo Oxford. ¡Y su derecha! Bueno, solo un paseo a

Coney Island y seis pares de medias de seda caladas pueden compensarla.

—Pero ¿por qué te golpea? —preguntó la señora Fink, con los ojos muy abiertos.

—¡No seas tonta! —respondió la señora Cassidy, complaciente—. Porque está borracho, por supuesto. Generalmente, los sábados por la noche.

—¿Pero qué motivos le das? —insistió, ansiosa por saber más.

—Y bueno, ¿acaso no me casé con él? Jack llega con varios tragos encima; y aquí estoy yo, ¿verdad? ¿A quién otra tendría derecho a pegarle? ¡Ay de que lo encuentre golpeando a otra! A veces es porque la comida no está lista; y a veces porque está lista. Jack no es demasiado exigente con respecto a los motivos. Solo bebe y bebe hasta que se acuerda de que está casado. Entonces viene a casa y decide poner las cosas en orden. Los sábados por la noche solo cambio de lugar los muebles con puntas afiladas, para no cortarme la cabeza cuando pone manos a la obra. ¡Tiene un golpe de izquierda que te deja zumbando los oídos! A veces me doy por vencida en el primer asalto; pero cuando tengo ganas de divertirme en la semana o quiero nuevos trapos, me levanto y busco más castigo. Eso es lo que hice anoche. Jack sabe que quiero esa blusa de seda negra desde hace más de un mes, y pensé que necesitaría más que un ojo negro para conseguirla. Escúchame bien, Mag, te apuesto el helado a que me la trae esta noche.

La señora Fink se quedó pensativa.

—Mi Mart —dijo— jamás me dio una paliza en toda su vida. Es como tú dices, Mame: llega de muy mal humor y ni siquiera tiene ganas de hablar. Nunca me lleva a ninguna parte. En casa es un auténtico calientasillas. Me compra cosas, pero lo hace con una expresión tan seca que no me es posible apreciarlas.

La señora Cassidy rodeó con el brazo a su amiga.

—¡Pobrecita! —dijo—. Pero no todas pueden tener un marido como Jack. Ningún matrimonio fracasaría si los maridos fueran como él. Lo que necesitan todas esas mujeres descontentas que andan por ahí es un hombre que llegue a casa y les dé sus buenas bofetadas por lo menos una vez por semana, y que luego las compense con besos y bombones de crema. Eso haría sus vidas más interesantes. Lo que yo quiero es un hombre dominante que te golpea cuando está borracho y te abraza cuando no lo está. ¡Líbreme Dios del hombre que no tiene la valentía para hacer ninguna de las dos cosas!

La señora Fink suspiró.

De pronto los pasillos se llenaron de ruido. Y de repente el señor Cassidy abrió la puerta de una patada. Tenía los brazos cargados de paquetes. Mame corrió hasta él y se le colgó del cuello. El ojo sano le brillaba con la luz del amor que resplandece en la mirada de la doncella maorí cuando recobra el conocimiento en la choza del enamorado que la ha aturdido y arrastrado hasta allí.

—¡Hola, vieja! —gritó el señor Cassidy. Dejó caer los paquetes y la abrazó con tanta fuerza que la levantó del suelo—. Tengo entradas para el circo de Barnum & Bailey, y si le cortas la cinta a unos de esos paquetes te vas a encontrar con la blusa de seda. Ah, buenas noches, señora Fink. No la vi cuando llegué. ¿Cómo está el amigo Mart?

—Está muy bien, señor Cassidy, gracias —respondió la señora Fink—. Bueno, ya tengo que irme. Mart vendrá pronto a cenar. Mañana te traeré el molde de costura que querías, Mame.

La señora Fink subió a su piso y se puso a llorar. Lloraba sin razón, como solo suele llorar una mujer, sin ningún motivo en especial, un llanto absurdo, en verdad: el llanto más efímero y desconsolado en el repertorio del dolor. ¿Por qué Martin nunca le había pegado? Era tan grande y fuerte como Jack Cassidy. ¿Tal vez no la quería, no sentía afecto por ella? Jamás peleaban; llegaba a casa y se sentaba, silencioso, melancólico, sin hacer nada. Cumplía con todas sus obligaciones de buen marido, pero no conocía los placeres de la vida.

El barco de los sueños de la señora Fink se había calmado. El capitán no se decidía entre el budín de ciruelas y la hamaca. ¡Si tan solo sacudiera el maderaje o pateara la cubierta de vez en cuando! ¡Y la señora Fink creyó que el crucero rebosaría de felicidad, con escalas en los puertos de las Islas Deleitables! Pero en ese momento, para variar, estaba a punto de tirar la esponja, agotada, sin un rasguño como resultado de todos esos apacibles asaltos con su pareja de entrenamiento de boxeo. Por un instante casi empezó a odiar a Mame… Mame, con sus cortes y magulladuras, su bálsamo de regalos y besos, y aquel turbulento viaje con su piloto amoroso, agresivo y brutal.

El señor Fink llegó a la casa a las siete. Estaba atravesado por la maldición de la domesticidad. Más allá del umbral de su cómodo hogar, no le gustaba vagabundear o vagar. Era el hombre que nunca perdía el tranvía, la anaconda que se tragaba a su presa, el árbol caído, inmóvil en el suelo.

—¿Te gusta la cena, Mart? —preguntó la señora Fink, que se había esforzado mucho en prepararla.

—Mmm, sí —emitió un gruñido el señor Fink.

Después de la cena, fue a buscar los periódicos y se sentó sin zapatos, solo con las medias puestas. ¡Levantaos, oh nuevo Dante, e indicadme dónde se encuentra el círculo del infierno para el hombre capaz de sentarse en casa solo en calcetines! Hermanas de la Paciencia, vosotras que habéis soportado por deber o por vínculo las medias de seda, hilo, algodón o lana, ¿no creéis que corresponda un nuevo canto?

El día siguiente era el Día del Trabajo. Las ocupaciones del señor Cassidy y del señor Fink cesaron hasta la nueva salida del sol. El Trabajo, triunfante, habría de desfilar y distraerse de distintas maneras.

La señora Fink le llevó temprano el molde de costura a la señora Cassidy. Mame tenía puesta su blusa nueva. Hasta el ojo lastimado le brillaba con una chispa de alegría. Jack estaba arrepentido, con gran provecho para todos, y ambos tenían un plan divertidísimo para pasar el día en parques y picnics, y abundante cerveza Pilsener.

La envidia, cada vez más fuerte y llena de indignación, se apoderó de la señora Fink mientras subía a su departamento. ¡Ah, qué feliz parecía Mame, con sus magulladuras y sus bálsamos tan oportunos! ¿Pero por qué Mame iba a tener el monopolio de la felicidad? Sin duda Martin Fink era tan hombre como Jack Cassidy. ¿Su esposa tendría que pasarse la vida sin golpes ni caricias? De pronto a la señora Fink se le ocurrió una idea brillante y asombrosa. Le demostraría a Mame que otros maridos eran tan capaces como Jack de usar los puños y quizá de ser tan tiernos como él después de las palizas.

El feriado prometía ser solo de nombre para los Fink. En la cocina, la señora Fink debía lavar montones de ropa sucia que había dejado en remojo la noche anterior. El señor Fink estaba sentado sin zapatos leyendo el periódico. Todo indicaba que así habrían de pasar el Día del Trabajo.

Una oleada de envidia agitó el pecho a la señora Fink y mucho más la agitó una decisión audaz. Si su hombre no la golpeaba, si hasta ese momento no había demostrado su virilidad, sus prerrogativas y su interés por la vida conyugal, entonces sería necesario alentarlo para que cumpliera con su deber.

El señor Fink encendió su pipa y con mucha calma se frotó un tobillo con el otro pie descalzo. Reposaba en el estado matrimonial como un grumo de harina sin disolver en un budín. Esas eran sus pequeñas aspiraciones elíseas: sentarse cómodamente para asomarse al mundo a través de la letra impresa, rodeado de las pompas de jabón de su querida esposa y los agradables olores de los platos del desayuno ya retirados y los del almuerzo que habrían de venir. Estaba lejos de pensar en muchas cosas, pero pegarle a su mujer era lo último que se le hubiera ocurrido.

La señora Fink abrió el agua caliente y puso las tablas de lavar entre el agua jabonosa. Del piso de abajo surgió la risa alegre de la señora Cassidy. Parecía una burla, como si se vanagloriara de su propia felicidad delante de la esposa jamás golpeada de arriba. Había llegado la hora de la señora Fink.

De pronto, hecha una furia, se volvió hacia el hombre que leía.

—¡Ocioso y haragán! —gritó—. ¿Así que tengo que matarme lavando ropa y trabajando en la casa para los tipos asquerosos como tú? ¿Eres un hombre o acaso eres un perro casero?

El señor Fink, paralizado de asombro, dejó caer el periódico. La señora Fink temió que no la golpeara... que la provocación no hubiese sido suficiente. Saltó sobre él y le pegó con salvajismo un puñetazo en la cara. En ese momento la recorrió un estremecimiento de amor, como no había sentido en mucho tiempo. ¡Levántate, Martin Fink, y ven a tu reino! Ah, ahora sí tendría que sentir el peso de su mano, ¡solo para demostrarle que ella le importaba, solo para demostrarle que la apreciaba!

El señor Fink se puso de pie de un salto. Maggie volvió a pegarle un puñetazo en la mandíbula con la otra mano. Cerró los ojos en ese instante terrible y a la vez dichoso que precedía al golpe inevitable... susurró el nombre de su marido... y se inclinó para recibir la conmoción tan esperada, en estado supremo de avidez.

En el piso de abajo el señor Cassidy, arrepentido y avergonzado, le estaba empolvando el ojo a Mame, listos ya para iniciar la juerga. Del departamento de arriba llegó la voz estridente de una mujer, el ruido de golpes, tropiezos, forcejos, de la caída de una silla... las inconfundibles señales de un conflicto doméstico.

—¿Mart y Mag se están peleando? —supuso el señor Cassidy—. No sabía que hicieran esas cosas. ¿Subo a ver si necesitan a alguien que les cure las heridas?

Uno de los ojos de la señora Cassidy resplandeció como un diamante. El otro le brilló menos, como una piedra preciosa de fantasía.

—¡Ah, ah! —dijo en voz baja y sin ningún significado aparente, como suelen ser las exclamaciones de las mujeres—. Me pregunto si... ¡Me pregunto si...! Espera, Jack, voy a subir a ver qué pasa.

Subió corriendo. Cuando llegó al pasillo del piso superior, la señora Fink salió por la puerta de la cocina con un movimiento rápido y violento.

—Ay, Maggie —dijo la señora Cassidy, en un murmullo de alegría—. ¿Lo hizo? ¡Ah! ¿Lo hizo?

La señora Fink corrió hacia su amiga y empezó a llorar con desesperación sobre su hombro.

La señora Cassidy tomó entre sus manos el rostro de Maggie y lo levantó con suavidad. Tenía la cara bañada en llanto, abochornada y pálida a la vez, pero su cutis de terciopelo, blanquísimo y sonrosado, con sus atractivas pecas, no mostraba ni un rasguño, ni una magulladura, ni una herida de los cobardes puños del señor Fink.

—Dímelo, Maggie, por favor —le rogó Mame—, o entraré yo misma a averiguarlo. ¿Qué pasó? ¿Te lastimó? ¿Qué te hizo?

La señora Fink volvió a hundir con desesperación la cara en el pecho de su amiga.

—¡Por el amor de Dios, no abras esa puerta, Mame! —sollozó—. Y nunca se lo digas a nadie... ni una palabra. Mart... ni siquiera me tocó, y... está... ¡ay, Dios mío...! ¡Está lavando la ropa...!

Edgar Allan Poe
El diablo en el campanario

¿Qué dice el reloj?
Antiguo dicho

De modo general todos saben que el lugar más maravilloso del mundo es —o *era*, por desgracia— el municipio holandés de Vondervotteimittiss. Sin embargo, como queda a cierta distancia de los caminos principales, y se encuentra en una ubicación un tanto alejada, quizá muy pocos de mis lectores lo hayan visitado alguna vez. Así pues, en consideración a los que no han podido conocerlo, me pareció apropiado contarles algunos detalles del lugar. Y esto es, en verdad, muy necesario, pues me propongo relatar los hechos calamitosos que ocurrieron dentro de sus confines, con la esperanza de atraer la compasión del público. Quienes me conocen saben que llevaré a cabo el deber que me he impuesto de la mejor manera posible, con toda la rigurosa imparcialidad, el prudente análisis de los hechos y la diligente confrontación con las autoridades que deben distinguir siempre a aquel que aspira al título de historiador.

Con la ayuda de monedas, manuscritos e inscripciones, me siento capacitado para afirmar, en forma positiva, que el municipio de Vondervotteimittiss ha existido desde siempre en las mismas y precisas condiciones en que se encuentra en la actualidad. Sin embargo, con respecto a la fecha de su origen, me temo que solo puedo hablar con esa especie de precisión indefinida a la que los matemáticos se ven a veces obligados a recurrir en algunas fórmulas algebraicas. Me atrevo a decir que la fecha, dada su increíble antigüedad, no puede ser menor que una cantidad determinada cualquiera.

En cuanto a la etimología del nombre Vondervotteimittiss, confieso, con pesar, que me encuentro igualmente en falta. Entre muchas opiniones sobre este punto tan delicado —algunas sutiles, otras eruditas y aun otras todo lo contrario—, no me es posible elegir ninguna que me sea satisfactoria. Quizá la idea de Grogswigg —similar a la de Kroutaplenttey— pueda aceptarse con cautela. Dice así: *Vondervotteimittiss-Vonder, lege Donder-Votteimittiss, quasi und Bleitziz-Bleitziz obsol: pro Blitzen*. Algunos obvios vestigios de fluido eléctrico en lo alto de la torre de la Municipalidad apoyan aún esta deducción. No obstante, preferiría no comprometerme con un tema de tanta importancia, y le recomiendo al amable lector ávido de mayor información que consulte los *Orantiunculæ de Rebus Præter-Veteris,* de Dundergutz; que vea, también, a Blunderbuzzard, *De Derivationibus,* págs. 27 a 5010, infolio, edición gótica, caracteres en rojo y negro, con llamadas y sin signaturas; y que revise asimismo las notas marginales de Stuffundpuff escritas a mano, con los subcomentarios de Gruntundguzzell.

Pese a la oscuridad en torno a la fecha de fundación de Vondervotteimittiss y de la etimología de su nombre, no cabe duda, como ya dije, que ha existido siempre tal y como la encontramos en la actualidad. El hombre más anciano del municipio no puede recordar ni la más leve diferencia en el aspecto de cualquier parte de la aldea; y, en verdad, incluso la insinuación de tal posibilidad se considera un insulto. El pueblo está ubicado en un valle perfectamente circular, cuya circunferencia mide cerca de cuatrocientos metros, y se halla rodeado en su totalidad de apacibles colinas. Hasta hoy, la gente del lugar nunca se ha atrevido a rodear las cimas. Justifican este hecho con la excelente razón de que no creen que haya nada en absoluto al otro lado.

En los lindes del valle (que es bastante llano y está pavimentado en toda su amplitud con baldosas planas) se extiende una fila continua de sesenta casas pequeñas. Estas, que les dan la espalda a las colinas, miran, por supuesto, hacia el centro de la llanura que se encuentra a sesenta metros de la puerta principal de cada vivienda. Cada una tiene un jardín delantero, un sendero circular, un reloj de sol y veinticuatro repollos. Las construcciones son tan iguales que resulta imposible distinguir una de otra. Debido a su extrema antigüedad, el estilo de la arquitectura es algo extraño, pero no por ese motivo deja de ser menos pintoresco e impactante. Las casas están edificadas con pequeños ladrillos rojos endurecidos al fuego, con bordes negros, de modo que las paredes parecen un tablero de ajedrez a gran escala. Los aguilones miran al frente, y hay cornisas, tan grandes como el resto de la casa, sobre los aleros y las puertas principales. Las ventanas son angostas y profundas, con paneles de vidrio diminutos y enormes marcos. En el techo hay gran cantidad de tejas de largos bordes curvos. La madera es en general de tonalidades oscuras, y muy tallada, pero con diseños poco variados, ya que, desde tiempos inmemoriales, los talladores de Vondervotteimittiss nunca han esculpido más de dos objetos: un reloj y un repollo. Pero los hacen muy, muy bien, y los intercalan, con singular ingenio, donde quiera que puedan utilizar el cincel.

Las viviendas son muy parecidas tanto por dentro como por fuera, y los muebles son todos de un único modelo. Los pisos están cubiertos de baldosas cuadradas, y las sillas y mesas son de madera negra con patas finas y corvas. Las repisas de las chimeneas se yerguen altas y anchas, y no solo tienen relojes y repollos tallados en el frente, sino que además sostienen en el centro de la parte superior un auténtico reloj que produce un prodigioso tictac, aparte de los floreros que contienen un repollo cada uno, ubicados en los extremos a modo de escolta. Entre cada repollo y reloj hay un chino pequeño, panzón, con un gran agujero en el medio de la barriga a través del cual se puede ver la esfera de un reloj.

Las chimeneas son grandes y profundas, con caballetes de hierro retorcido. Siempre arde un gran fuego, sobre el que pende una enorme olla llena de *sauerkraut* y carne de cerdo, que la dueña de casa se ocupa siempre de vigilar. Es una mujer gorda y entrada en años, de estatura pequeña, con ojos celestes y mejillas coloradas, y lleva puesta una enorme gorra que parece un pan de azúcar, adornada con cintas violáceas y amarillas. El vestido es de tela burda hecha de algodón y lana, de color naranja, largo por detrás y corto en la cintura, en verdad muy corto en otros aspectos, pues le llega apenas a la mitad de la pierna. Estas son un tanto gruesas, y también los tobillos, pero las tiene cubiertas por un par muy fino de medias verdes. Los zapatos, de cuero rosado, están atados con cintas amarillas recogidas en lazos con forma de repollo. En la mano izquierda lleva un pequeño y pesado reloj holandés; y en la derecha sostiene un cucharón para el *sauerkraut* y el cerdo. A sus pies se encuentra un gato gordo de rayas atigradas, al que los muchachos le han atado en la cola, a modo de broma, un relojito dorado de repetición.

En ese momento, los tres muchachos están en el jardín cuidando al cerdo. Cada uno mide menos de un metro de altura. Llevan puestos sombreros de tres picos ladeados, chalecos de color violáceo que les llegan hasta los muslos, calzones cortos de cuero de ante, medias de lana rojas, zapatones pesados con gruesas hebillas de plata y largos sobretodos con grandes botones de madreperla. Asimismo, cada uno tiene una pipa en la boca y un pequeño reloj redondo en la mano derecha. Lanzan una bocanada de humo y miran; miran y lanzan una bocanada de humo. El cerdo, que es corpulento y perezoso, se entretiene unas veces en recoger las hojas sueltas que caen de los repollos y, otras, en patear el relojito dorado de repetición que los niños traviesos también le han puesto en la cola, para que se vea tan apuesto como el gato.

Justo en la puerta principal, en una butaca de respaldo alto y asiento forrado en cuero, de patas finas y corvas como las de las mesas, está sentado el mismísimo dueño de casa, ya anciano. Es un viejito hinchado en exceso, de grandes ojos redondos y una enorme doble papada. El traje que lleva puesto se parece al de los niños, y no necesito abundar en descripciones. La diferencia radica en que su pipa es un poco más grande que la de los niños, lo que le permite lanzar mayor cantidad de humo. Igual que ellos, posee un reloj, pero lo guarda en el bolsillo. A decir verdad, tiene algo mucho más importante que hacer que mirar el reloj, y eso es lo que les explicaré a continuación. Está sentado con la pierna derecha apoyada sobre la rodilla izquierda, tiene una expresión grave en el rostro y conserva siempre los ojos fijos, al menos uno de ellos, en cierto objeto notable en el medio de la llanura.

El objeto está situado en la torre de la Municipalidad. Los miembros del Consejo son hombres diminutos, rechonchos, adulones e inteligentes, con ojos grandes como platos y enormes papadas gordas. Lucen sobretodos más largos, y las hebillas de sus zapatos son más grandes que las del resto de los habitantes comunes de Vondervotteimittiss. Desde que resido en el municipio, han celebrado varias reuniones extraordinarias en las que adoptaron tres resoluciones importantes:

«Está mal alterar el curso normal de las cosas».

«No hay nada tolerable fuera de Vondervotteimittiss», y

«Nos mantendremos fieles a nuestros relojes y repollos».

Sobre la sala de audiencias del Municipio se encuentra la torre y en la torre se halla el campanario, donde está, y ha estado desde tiempos inmemoriales, el orgullo y maravilla del pueblo: el gran reloj del municipio de Vondervotteimittiss. Y este es el objeto al que se vuelven los ojos de los viejos caballeros sentados en butacas de asiento forrado en cuero.

En gran reloj tiene siete esferas —una en cada uno de los siete lados de la torre—, de modo que se puede ver sin dificultad desde todos los puntos cardinales. Las esferas son grandes y blancas, y las agujas, pesadas y negras. Hay un campanero cuya única tarea consiste en cuidar del reloj, pero esta tarea es la más perfecta de las sinecuras, pues el reloj de Vondervotteimittiss, que se sepa, nunca ha sufrido ningún desarreglo. Hasta hace poco, la simple suposición de semejante cosa era considerada una herejía. Desde los períodos más remotos registrados en los archivos, la campana ha tocado las horas con regularidad. Y, en efecto, lo mismo ha ocurrido con los demás relojes del municipio. Nunca ha existido ningún lugar donde la hora fuera más precisa, exacta y puntual. Cuando el gran badajo juzgaba apropiado cantar «¡Las doce!», todos sus obedientes seguidores abrían las gargantas a la vez y respondían como si fueran un auténtico eco. En pocas palabras, los buenos burgueses apreciaban su *sauerkraut*, pero al mismo tiempo estaban orgullosos de sus relojes.

Las personas que gozan de sinecuras son objeto de mayor o menor veneración, y como el campanero de Vondervotteimittiss posee la más perfecta de las sinecuras es el hombre más perfectamente respetado en el mundo entero. Es el dignatario principal del municipio, y hasta los cerdos lo contemplan con cierto sentimiento de reverencia. Los faldones de su chaqueta son *mucho* más largos —su pipa, las hebillas de sus zapatos, sus ojos, su barriga son *mucho* más grandes— que los de cualquier otro viejo caballero del pueblo; y en cuanto a su papada, no es solo doble, sino triple.

He descrito, pues, el feliz estado de Vondervotteimittiss. ¡Ay, qué desdicha que cuadro tan idílico estuviera condenado a sufrir la peor de las desgracias!

Desde hace mucho tiempo los sabios del pueblo han repetido hasta el cansancio que «nada bueno puede venir del otro lado de las colinas»; y en realidad estas palabras contenían en sí, al parecer, el espíritu de la profecía. Faltaban cinco minutos para las doce del mediodía, en el día de anteayer, cuando apareció un objeto de aspecto extraño en la cumbre de los cerros hacia el Este. Por supuesto, el hecho atrajo la atención de todo el mundo, y cada uno de los viejos y diminutos caballeros sentados en butacas de asiento forrado en cuero volvió uno de sus ojos, lleno de abatimiento, hacia el fenómeno, mientras mantenía el otro fijo en el reloj de la torre.

Cuando ya solo faltaban tres minutos para las doce del mediodía, se comprobó que el raro objeto era un diminuto personaje de aspecto extranjero. Bajaba por las colinas con gran rapidez, de modo que todos pudieron divisarlo enseguida con diáfana claridad. Nunca habían visto en Vondervotteimittiss a nadie más delicado y pequeñito. Tenía el semblante oscuro, del color del tabaco, una larga nariz aguileña, ojos del tamaño de arvejitas, boca ancha, y una excelente dentadura que parecía ansioso por mostrar, pues sonreía de oreja a oreja. Entre el bigote y las patillas, ya quedaba poco por ver del rostro. Llevaba la cabeza descubierta y el cabello peinado con rizos envueltos en papillotes. El traje se componía de una chaqueta de gala negra ajustada (de uno de los bolsillos colgaba la punta larga de un pañuelo blanco), calzones negros de casimir, medias negras y gruesos escarpines atados con grandes lazos hechos con cintas de satén negro. Bajo un brazo sostenía un enorme *chapeau-de-bras* y, bajo el otro, un violín cinco veces más grande que él. En la mano izquierda tenía una tabaquera de oro, de la que tomaba rapé sin interrupción con la actitud más presumida del mundo, mientras bajaba brincando por la colina con toda clase de pasos fantásticos. ¡Dios nos libre! ¡Qué espectáculo para los honorables burgueses de Vondervotteimittiss!

Para decirlo con franqueza: a pesar de su sonrisa, el personaje tenía un rostro atrevido y siniestro. Y mientras brincaba juguetón hacia el pueblo, la singular apariencia de sus escarpines empezó a despertar no pocas sospechas. Más de un burgués que lo miraba ese día hubiera dado cualquier cosa por pispiar debajo del pañuelo blanco de batista que colgaba de modo tan ostentoso del bolsillo de la chaqueta de gala. Pero, sobre todo, lo que despertó la más justa indignación fue que el vil bribonzuelo, mientras ejecutaba tan pronto un fandango como una pirueta, no parecía tener ni la más remota idea de lo que significaba *seguir el compás* de los pasos y medirles el tiempo.

Entretanto, la buena gente del municipio no había tenido aún la posibilidad de abrir los ojos del todo, cuando, justo medio minuto antes de que dieran las doce del mediodía, el pillo irrumpió entre los habitantes. Hizo un *chassez* aquí, un *balancez* allá, y entonces, después de una *pirouette* y un *pas-de-zephyr*, compuso una figura de fantasía que lo elevó hasta el campanario de la Municipalidad, donde el campanero fumaba estupefacto en un estado entre digno y abatido. Pero la pequeña criatura lo agarró de inmediato de la nariz, a la que le dio una sacudida y un tirón, le hundió con fuerza el gran *chapeau-de-bras* en la cabeza, le tapó los ojos y la boca con el ala; y luego, levantando el enorme violín, lo golpeó con el instrumento durante tanto rato y con tal violencia que, siendo el campanero tan gordo y el violín tan hueco, cualquiera hubiera jurado que todo un regimiento de enormes tambores tocaba redobles infernales en el campanario de la torre de Vondervotteimittiss.

No hay modo de saber qué acto temerario de venganza hubiera inspirado en los habitantes este cínico ataque, de no haber sido por el importantísimo hecho de que faltaba medio segundo para que dieran las doce del mediodía. Iba a sonar la campana y era cuestión de absoluta y suprema necesidad que todos miraran sus relojes. No obstante, resultaba evidente que justo en ese momento el pillo en la torre estaba haciendo algo con el reloj que no tenía ningún derecho a hacer. Pero como en ese momento empezaba a tocar, nadie tenía tiempo para advertir sus maniobras, porque todos tenían que contar los tañidos de la campana.

—¡Una! —cantó el reloj.

—¡Und! —replicó cada uno de los viejos y diminutos caballeros, en cada una de las butacas de asiento forrado en cuero de Vondervotteimittiss.

—¡Una! —respondió también su reloj.

—¡Und! —continuó el reloj de su frau.

Y:

—¡Und! —dijeron los relojes de los niños, y los relojitos dorados de repetición de las colas del gato y el cerdo.

—¡Dos! —continuó la enorme campana.

Y:

—¡Dwo! —repitieron todos los mecanismos de los relojes repetidores.

—¡Tres! ¡Cuatro! ¡Cinco! ¡Seis! ¡Siete! ¡Ocho! ¡Nueve! —repicó la campana.

—¡Drez! ¡Kuatro! ¡Zinko! ¡Sech! ¡Sieb! ¡Otto! ¡Neuven! —contestaron los otros.

—¡Once! —gritó la grande.

—¡Jonze! —confirmaron las pequeñas personas.

—¡Doce! —exclamó la campana.

—¡Dwoce! —respondieron, perfectamente satisfechos, bajando la voz.

—¡Jan dado laz dwoce! —prorrumpieron todos los diminutos y viejos caballeros, guardando sus relojes. Pero la campana grande no había terminado todavía.

—¡Trece! —dictó.

—¡Dreze! —exclamaron todos los diminutos y viejos caballeros, empalideciendo, dejando caer las pipas y levantando la pierna derecha que tenían apoyada sobre la pierna izquierda—. ¡Dreze! —gimieron—. ¡Dreze! ¡Dreze! ¡Mein Gott, son las dreze!

¿Cómo describir la terrible escena que se armó? Todo Vondervotteimittiss estalló de pronto en un lamentable alboroto.

—¿Ke pasrá com mein parriga? —gimieron los niños—. ¡Tenjo jamvre jace ein jora!

—¿Ke pasrá com mein kraut? —exclamaron todas las frau—. ¡Están rekozidas jace ein jora!

—¿Ke pasrá com mein pipa? —maldijeron todos los diminutos y viejos caballeros—. ¡Druenos und relámbajos! ¡Deve estar apajada jace ein jora! —y volvieron a llenarlas de tabaco muertos de rabia; se sentaron en sus butacas y empezaron a lanzar bocanadas con tanta rapidez y furia que el humo más denso e impenetrable cubrió de inmediato todo el valle.

Entretanto, los repollos se iban poniendo cada vez más colorados, y parecía que el mismo diablo se había apoderado de todo lo que tenía forma de reloj. Los relojes tallados en los muebles empezaron a bailar como si estuvieran embrujados, mientras que los que se encontraban en las chimeneas apenas si podían contener la ira y se empecinaban en tocar sin detenerse las trece horas, con tantos zarandeos y ondulaciones de los péndulos, que resultaba demasiado espantoso a la vista. Pero lo peor de todo era que ni los gatos ni los cerdos podían seguir soportando el comportamiento de los relojitos de repetición atados a sus respectivas colas, y lo demostraban corriendo por todo el lugar, rascando y hurgando, chillando y gritando, maullando y berreando, lanzándose a las caras, metiéndose debajo de las enaguas de las personas y produciendo la estridencia y confusión más abominable que cualquier persona sensata pudiera imaginar. Y para peor de males, era evidente que el pequeño y pícaro bribón de la torre estaba ejerciendo al máximo sus nefastas habilidades. De cuando en cuando, el pillo se dejaba ver a través del humo. Allí estaba sentado en el campanario encima del campanero, que yacía de espaldas en el suelo cuan largo era. El villano sostenía entre los dientes la soga de la campana y la sacudía sin parar con la cabeza, creando tal barullo, que los oídos me vuelven a zumbar de solo recordarlo. Tenía en las faldas el enorme violín, que rascaba sin ritmo ni armonía con ambas manos, pretendiendo hacer una gran interpretación, el imbécil, de la melodía *Judy O'Flannagan y Paddy O'Rafferty*.

Puesto que la situación había llegado a un estado tan lamentable, abandoné con repugnancia el lugar. Y ahora solicito la ayuda de todos los amantes de la hora exacta y del buen sauerkraut. Vayamos todos en masa al municipio y restablezcamos el antiguo orden en Vondervotteimittiss, expulsando de la torre al hombrecito aquel.

Saki

La reticencia de Lady Anne

Egbert llegó a la amplia sala poco iluminada con la actitud de un hombre inseguro, que no sabe si está entrando en un palomar o en una fábrica de explosivos, pero listo para enfrentar cualquiera de las posibilidades. La pequeña discusión doméstica durante el almuerzo no había concluido, y el asunto era averiguar hasta qué punto Lady Anne estaba dispuesta a reanudar o suspender las hostilidades. Su pose sobre el brazo del sillón junto a la mesa de té era más bien rígida y forzada; en la penumbra de la tarde de diciembre los quevedos de Egbert no lo ayudaban casi nada a distinguir la expresión del rostro de Lady Anne.

Para romper el hielo que tal vez flotara en el ambiente, hizo un comentario sobre la calidad sombría de la luz. Tanto él como Lady Anne solían hacer esa observación entre las cuatro y media y las seis de la tarde durante el invierno y fines de otoño; formaba parte de su vida marital. No tenía respuesta precisa, y Lady Anne no aventuró ninguna.

Don Tarquinio estaba acostado en la alfombra persa, aprovechando el calor de la chimenea con soberbia indiferencia hacia el posible mal humor de Lady Anne. Su raza persa era tan pura como la alfombra, y su pelaje lucía ya el esplendor de su segundo invierno. El sirviente, que tenía inclinaciones renacentistas, lo había bautizado con el nombre de Don Tarquinio. De ser por ellos, Egbert y Lady Anne lo habrían llamado Pelusa, sin duda, pero no eran personas insistentes.

Edgar se sirvió una taza de té. Como no había indicios de que cesara el silencio por iniciativa de Lady Anne, se preparó para otra acometida heroica.

—Mi comentario durante el almuerzo fue solo especulativo —explicó—. Pero parece que le has dado un significado demasiado personal.

Lady Anne siguió inmutable tras su barrera de silencio. El pinzón llenó la pausa con una tonada de *Ifigenia en Táuride*. Egbert la reconoció de inmediato porque era la única melodía que silbaba el pinzón, y de hecho lo adquirieron por la fama que ya tenía de silbarla. Tanto Egbert como Lady Anne hubiesen preferido algo similar a *El Guardia del Rey*, la ópera favorita de ambos. En cuestiones artísticas tenían gustos similares. Se inclinaban por el arte honesto y explícito, una pintura, por ejemplo, que contara su propia historia, con la generosa colaboración del título. Un caballo de guerra sin jinete con la montura y riendas en obvio desorden, que ingresa tambaleante en un patio lleno de mujeres pálidas y desfallecientes, con la mención al costado de «Malas noticias», se les aparecía en la mente como una interpretación inconfundible de alguna catástrofe militar. Podían ver lo que la pintura se proponía transmitir y explicárselo a sus amigos de menor capacidad intelectual.

Persistió el silencio. Por regla general, después de cuatro minutos de mutismo introductorio, los disgustos de Lady Anne se expresaban con soltura y marcada locuacidad. Egbert agarró la jarra de leche y vertió parte del contenido en la escudilla de Don Tarquinio; como la escudilla ya estaba llena, el resultado fue un desagradable desborde. Don Tarquinio contempló la escena con muestras de asombro que se desvanecieron en una indiferencia deliberada no bien Egbert lo invitó a beber parte del líquido derramado. Don Tarquinio estaba dispuesto a desempeñar muchos papeles en su vida, pero el de aspiradora de alfombras no era uno de ellos.

—¿No te parece que nos estamos comportando de un modo ridículo? —dijo Egbert, animado.

Si Lady Anne estuvo de acuerdo, no pronunció ni una palabra.

—Admito que fue culpa mía en parte —continuó Egbert, cada vez menos animado—. Al fin y al cabo, no soy nada más que un ser humano, sabes. Pareces olvidar que soy solo un ser humano.

Insistió en lo dicho, como si hubiera habido alusiones infundadas de que él tenía características de sátiro, con prolongaciones de macho cabrío donde terminaban las humanas.

El pinzón volvió a cantar la tonada de *Ifigenia en Táuride*. Egbert empezó a deprimirse. Lady Anne no bebía su té. Quizá se sentía mal. Pero cuando Lady Anne estaba indispuesta, no solía ser muy discreta. «Nadie sabe cuánto me hace padecer la indigestión», era una de sus frases favoritas; pero la falta de conocimiento solo podía deberse a alguna leve sordera, pues la cantidad de información disponible sobre el tema habría proporcionado material más que suficiente para una monografía.

Era obvio que Lady Anne no estaba indispuesta.

Egbert empezaba a creer que era objeto de un trato poco razonable; por instinto comenzó a hacer concesiones.

—Es muy probable —observó, mientras trataba de ubicarse en el lugar más céntrico de la alfombra que Don Tarquinio tuviera a bien concederle— que la culpa sea mía. Estoy dispuesto, si de ese modo puedo recuperar nuestros momentos más felices, a esforzarme por llevar una vida mejor.

Se preguntó vagamente cómo podría hacerlo. Ya entrado en años, le llegaban las tentaciones de modo confuso y sin mucha insistencia, como un pobre ayudante de carnicería que pide un aguinaldo en febrero por la única e ilusoria razón de que no lo obtuvo en diciembre. No tenía la menor intención de sucumbir a ellas como tampoco la de comprar los cubiertos de pescado o las boas de plumas que las damas se veían forzadas a rematar durante todo el año a través de la sección de anuncios de los periódicos. Pero aun así había algo impresionante en esa renuncia espontánea a posibles atrocidades latentes.

Lady Anne no dio señales de estar impresionada.

Egbert la miró nervioso a través de sus quevedos. Salir perdiendo en una discusión con ella no era una novedad. Pero salir perdiendo en un monólogo sí lo era, y de lo más humillante.

—Voy a cambiarme para la cena —anunció, en un tono en el que pretendía deslizar un matiz de dureza.

Ya en la puerta, un último arrebato de debilidad lo impulsó a hacer otro intento.

—Nos estamos comportando de una manera muy tonta, ¿no crees?

«Idiota» fue el comentario mental de Don Tarquinio cuando se cerró la puerta detrás de Egbert. Luego levantó en el aire las aterciopeladas patas delanteras y saltó con gracia a un estante de libros, justo debajo de la jaula del pinzón. Por primera vez parecía notar la existencia del pájaro, pero en verdad estaba llevando a cabo un plan de ataque meditado durante largo tiempo, con la exactitud que surge de la reflexión madura. El pinzón, que se había creído una especie de déspota, se redujo en forma súbita a un tercio de su tamaño natural. Empezó a batir las alas indefenso y a emitir chillidos agudos. Había costado veintisiete chelines sin la jaula, pero Lady Anne no dio señales de intervenir. Hacía dos horas que había muerto.

Marcel Schwob

La peste

* cccci e mille l'an corant*
Nella città di Trento Ré Rupert
Volle lo scudo mio essor copert
De l'arme suo Lion d'oro rampant.

Cronica del Pitti

A Auguste Bréal

Yo, Bonacorso de Neri de Pitti, hijo de Bonacorso, confaloniero de justicia de la comuna de Florencia, cuyo escudo fue cubierto en el año 1401, por orden del rey Ruperto, en la ciudad de Trento, con un león de oro rampante, quiero referir, para bien de mis descendientes nobles, lo que me sucedió cuando comencé a recorrer el mundo en busca de aventuras.

En el año MCCCLXXIV, joven y sin dinero, huí de Florencia por uno de los grandes caminos con Matteo, mi compañero. La peste había devastado la ciudad. La enfermedad era súbita, y atacaba en plena calle. Los ojos se ponían rojos y ardientes, la garganta enronquecía y el vientre se hinchaba. Luego, la lengua y la boca se cubrían de pequeñas bolsas llenas de agua irritante. El enfermo se sentía poseído por la sed. Una tos seca los agitaba durante muchas horas. Después, los miembros se ponían rígidos en las articulaciones, la piel quedaba salpicada de manchas rojas e hinchadas, que algunas personas llaman bubas. Al final, los muertos terminaban con el rostro distendido y blancuzco, magulladuras sangrantes y la boca abierta como una corneta. Las fuentes públicas, secas por el calor, estaban rodeadas de hombres encorvados y escuálidos que intentaban mojarse la cabeza. Muchos caían dentro y los sacaban después con los ganchos de las cadenas, negros por el fango y con el cráneo destrozado. Los cadáveres parduscos cubrían los senderos por los que, durante la estación, corre el torrente de la lluvia; el olor se volvía insoportable y el temor era terrible.

Pero Matteo era un buen jugador de dados; mucho nos alegramos en cuanto salimos de la ciudad, y bebimos vino, en el primer hostal que encontramos, en honor a nuestra salvación de la mortandad. Nos encontramos allí con mercaderes de Génova y Pavía; los desafiamos, cubilete en mano, y Matteo ganó doce ducados. Por mi parte, los reté a un juego de mesa, y tuve la buena suerte de embolsarme veinte florines de oro. Con esos ducados y florines compramos mulas y un cargamento de lana; y Matteo, que había decidido ir a Prusia, consiguió una provisión de azafrán.

Recorrimos los caminos de Padua a Verona, luego regresamos a Padua para abastecernos de más lana, y continuamos nuestro viaje hasta Venecia. De allí, cruzamos el mar, entramos en Eslavonia, visitamos bellas ciudades y llegamos hasta los límites de Croacia. En Buda me enfermé de fiebre y Matteo me dejó solo en el hostal, con doce ducados, y volvió a Florencia, donde lo requerían ciertos negocios, y donde se suponía que debía encontrarme con él. Me quedé en una habitación seca y polvorienta, tendido sobre un costal de paja, sin médico, y con la puerta abierta a la taberna. La noche de San Martín, llegó una compañía de pífanos y flautistas, y con ella, unos quince o dieciséis soldados venecianos y tudescos. Después de beber una buena cantidad de jarros, aplastar las tazas de estaño y arrojar los cántaros contra la pared, comenzaron a bailar al son de un pífano. Sus caras rojas y regordetas pasaron delante de mi puerta, y, cuando me vieron recostado sobre el costal, decidieron arrastrarme por la taberna, gritando «¡O bebes, o mueres!», tras lo cual me lanzaron al aire repetidas veces con la manta, mientras la fiebre me martillaba la cabeza, y terminaron por meterme en el costal y cerrarme la abertura alrededor del cuello.

Sudé mucho, por lo que, sin duda, me bajó la fiebre, aunque ardía en cólera. Tenía los brazos trabados y me habían quitado el alfanje, con el cual me hubiera arrojado sobre los soldados, incluso cubierto de paja. Pero en la cintura, debajo de las calzas, tenía un cuchillo corto envainado; logré deslizar la mano y con él pude cortar la tela del costal.

Quizá la fiebre aún me enardecía la cabeza, pero el recuerdo de la peste que habíamos dejado atrás en Florencia, y que luego se expandió por Eslavonia, se unió en mi mente a una idea que me había hecho del rostro de Sila, el dictador latino del que habla Cicerón. Según decían los atenienses, el dictador parecía una mora espolvoreada de harina. Decidí aterrorizar a los soldados venecianos y tudescos, y como estaba en medio de un cuartucho donde el hotelero guardaba sus provisiones y las frutas en conserva, rompí rápidamente un saco lleno de harina de maíz. Me froté el rostro con el polvo, y cuando adquirí un color entre amarillo y blanco, me hice una pequeña herida en el brazo con el cuchillo y me embadurné con sangre para manchar la capa de harina en forma irregular.

Luego volví a meterme en el costal y esperé a los bandidos borrachos. Por fin llegaron, riéndose y tambaleándose; en cuanto me vieron la cara blanca y sangrienta empezaron a chocarse entre ellos y a gritar: «¡La peste, la peste!».

No había recuperado las armas, y el hostal ya estaba vacío. Me sentía curado, gracias a la transpiración que me causaron aquellos rufianes, así que emprendí el viaje a Florencia, donde debía reunirme con Matteo.

Encontré a mi compañero Matteo vagando por la campiña florentina, y muy maltrecho. No se atrevía a entrar en la ciudad, pues la peste seguía causando estragos. Cambiamos de rumbo y nos dirigimos, en nuestra búsqueda de fortuna, hacia los Estados del papa Gregorio. Subimos en dirección a Aviñón y nos cruzamos con bandas de hombres armados, que portaban lanzas, picas y archas: al parecer los ciudadanos de Bolonia se había rebelado contra el papa, a pedido de los florentinos (lo cual ignorábamos). Allí, armamos buenos juegos con los miembros de uno y otro partido, tanto en la mesa como en los dados, de suerte que ganamos alrededor de trescientos ducados y ochenta florines de oro.

La ciudad de Bolonia estaba casi abandonada, y nos recibieron en las casas de baños con gritos de júbilo. Los cuartos no estaban tapizados de paja como en otras ciudades lombardas; no faltaban camastros, aunque los catres estaban rotos en su mayoría. Matteo se encontró con una amiga florentina, Monna Giovanna. Por mi parte, como no me interesaba conocer el nombre de mi acompañante, quedé satisfecho.

Bebimos en abundancia el vino local y cerveza, y comimos confituras y pastelillos. Cuando le conté mi aventura a Matteo, fingió que iba al retrete, bajó a la cocina y regresó disfrazado de enfermo de la peste. Las muchachas de los baños salieron disparadas, lanzando gritos agudos, hasta que se tranquilizaron y se acercaron a tocar, aún temerosas, el rostro de Matteo. Monna Giovanna no quiso volver con él y se quedó temblando en un rincón, mientras repetía que Matteo tenía fiebre. Entretanto, Matteo —que estaba muy borracho— apoyó la cabeza entre las vasijas dispersas sobre la mesa, que se sacudía a causa de sus ronquidos, y en ese momento empezó a parecerse a una máscara de madera pintada, como las que usan los saltimbanquis en sus representaciones callejeras.

Finalmente nos fuimos de Bolonia, y después de muchas aventuras llegamos a Aviñón, donde nos enteramos de que el papa metía en la cárcel a todos los florentinos y los mandaba quemar junto con sus libros, como venganza por la rebelión. Pero fuimos advertidos demasiado tarde, pues los sargentos del mariscal del papa nos sorprendieron a mitad de la noche y nos arrojaron a las mazmorras de Aviñón.

Antes de la tortura, fuimos interrogados por un juez que nos condenó, en forma provisoria, al calabozo, hasta que se iniciara el proceso, y a pan y agua, como es costumbre en la justicia eclesiástica. Por suerte, logré esconder entre la ropa nuestra bolsa, que contenía un poco de polenta y aceitunas.

El fondo del calabozo estaba lleno de lodo, y nuestra fuente de aire era un respiradero enrejado a ras del suelo, y daba al patio de la prisión. Nos introdujeron los pies por los agujeros de unos cepos de madera muy pesados y teníamos las manos sujetas con cadenas flojas, de manera tal que nuestros cuerpos se tocaban de la rodilla al hombro. El encargado de la guardia nos hizo el favor de decirnos que éramos sospechosos de envenenamiento, ya que el papa había sabido, por ciertos embajadores, que los confalonieros de la comuna de Florencia abrigaban el propósito de matarlo.

Allí estábamos, en la penumbra de la prisión, sin oír un solo ruido, ignorantes de la hora del día o de la noche, con el grave peligro de terminar en la hoguera. Recordé entonces nuestra estratagema, y concebí la idea de que la justicia papal quizá nos echara de la prisión por temor a la enfermedad. Con gran trabajo logré alcanzar mi polenta y decidimos que Matteo se embadurnaría el rostro y se mancharía con sangre mientras yo gritaba para atraer a los esbirros. Matteo preparó su máscara y comenzó a dar aullidos roncos, como si estuviera enfermo de la garganta. Yo invoqué a Nuestra Señora mientras sacudía las cadenas. Pero el calabozo era profundo, la puerta demasiado gruesa, y caía la noche. Suplicamos en vano durante varias horas. Por fin dejé de gritar, pero Matteo siguió gimiendo. Le di un golpe con el codo para que descansara hasta que despuntara el día; sus gemidos se volvieron más fuertes. Lo toqué en la oscuridad; mis manos apenas llegaban a su vientre, que me pareció hinchado como un odre. Y entonces el miedo se apoderó de mí, pero seguíamos atados sin poder movernos. Mientras Matteo gritaba con voz ronca «¡Agua, agua!», de un modo semejante al aullido desesperado de una jauría desenfrenada, irrumpió la pálida claridad del alba a través del respiradero. Entonces un sudor frío me recorrió los miembros, porque, debajo de la máscara de polvo con manchas de sangre seca, noté que estaba lívido, y reconocí las costras blancas y las supuraciones rojas de la peste de Florencia.

Henryk Sienkiewicz
Sachem

Quién hubiera imaginado esa noche, al contemplar aquel circo monumental que se levantaba en la plaza principal de Antílope, que apenas quince años antes no había ni señales de aquel pueblo tan floreciente. Ningún blanco se hubiera arriesgado entonces a acercarse a la confluencia de los dos ríos donde lo habían construido. Las pocas chozas indias diseminadas por el lugar causaban terror a los colonos alemanes de la región. Sus ocupantes, indios de Texas, conocidos como los Serpientes Negras, sabían defender a muerte su territorio, y más de una cabeza de europeo imprudente padeció el horror del escalpelo.

Sin embargo, tal como estaban las cosas, la situación no podía durar mucho tiempo más.

Una noche de luna llena, varios centenares de caras pálidas cayeron sobre la aldea dormida. A la mañana siguiente el triunfo de la buena causa de la civilización era total. Chiavatta —así se llamaba la aldea indígena— fue incendiada, y pasaron a cuchillo a todos sus habitantes, sin distinción de edad ni de sexo. Solo escaparon a la masacre algunos guerreros que en esa estación del año solían cazar en las llanuras.

No bien quedó arrasada la aldea, a sus destructores se les ocurrió que se trataba de un buen lugar para establecerse, así que no tardó en surgir de las cenizas de la Chiavatta bárbara, con la ayuda de la inmigración alemana, una Antílope civilizada.

En menos de cinco años la poblaban dos mil habitantes; y esa cantidad se duplicó y muy pronto se triplicó gracias a la explotación de las minas de mercurio de la comarca.

Conforme a la ley de Lynch, diecinueve guerreros Serpientes Negras —los últimos que lograron capturar— fueron ahorcados siete años después del triste y trágico fin de los suyos, en la misma plaza donde esa noche tocaba, a todo meter, la banda del circo.

Con gran ruido y estridencia sonaba la banda, y tendría que haber sido muy perspicaz el que hubiese podido distinguir, entre el público que esperaba el comienzo del espectáculo —ricos comerciantes y modestos trabajadores—, a los hombres despiadados que, quince años atrás, incendiaron y degollaron a los pobladores indios en esa misma plaza festiva.

Los curiosos se amontonaban por millares en las gradas del circo. ¿A qué se debía tanto éxito? ¿Quizá al legítimo deseo de divertirse un rato después de un fatigoso día de trabajo? ¿Tal vez al orgullo de ser honrados con la compañía del célebre circo Dean, cuya visita ponía de relieve, a todas luces, la importancia del pueblo? Por estas razones, sin duda alguna, pero también por otra más importante.

El número dos del programa decía:

Danza en la cuerda floja a quince metros del suelo, con acompañamiento de música, por el célebre acróbata Sachem, «el Buitre Rojo», jefe de los Serpientes Negras, último descendiente real de la raza y único sobreviviente de la tribu.

Una vez, el honorable señor Dean contó en la Taberna que, quince años atrás, al pasar por Santa Fe, se encontró con un viejo indio moribundo, acompañado de un niño. Antes de morir, el viejo le dijo que el muchacho, hijo del Sachem de los Serpientes Negras, era el heredero legítimo de su padre asesinado, y como tal le correspondía ser el jefe indiscutido de la tribu destruida o desperdigada. El hijo, adoptado por la compañía del circo, se convirtió con el tiempo en el primer acróbata. Y el señor Dean, que hasta llegar a Antílope ignoraba lo ocurrido en Chiavatta, se enteró esa noche de que su equilibrista iba a danzar sobre la tumba de su padre.

Y al divulgarse la noticia, el Sachem se convirtió en la *great attraction*. Los burgueses de Antílope fueron en masa al circo, ansiosos de ver al único sobreviviente de una raza que habían aniquilado, para exhibirlo ante sus mujeres e hijos, y ante los recién llegados de Alemania, que nunca en su vida habían visto un indio en persona. Con qué orgullo dijeron:

—¡Miren! ¡Miren! ¡Ese es le último de los Serpientes Negras que nosotros exterminamos!

—*Ah! Herr! Ych!*

¡Qué grata satisfacción para el amor propio! Las exclamaciones de admiración se mezclaban con los relatos de proezas del pasado, mientras que en toda la ciudad se oía una sola palabra, repetida una y otra vez:

—Sachem... Sachem...

Desde la mañana temprano, dominando su terror, los niños más audaces merodeaban por los alrededores del circo y se esforzaban por ver a través de las aberturas, entre las tablas mal puestas... Y los muchachos mayores, envalentonados ese día por un espíritu guerrero, se pavoneaban por la plaza principal, sacando pecho de modo amenazante...

Por fin, dieron las ocho.

Era una noche maravillosa, clara y estrellada.

Desde lejos, la brisa esparcía por el pueblo el perfume del naranjo, mezclado con el aroma de la malta.

Y alumbraban el circo grandes resplandores de luces, provenientes de enormes antorchas de pez que llameaban entre altos penachos de humo negro, y una inmensa araña de petróleo encima de la pista.

Afuera, en la puerta, se agolpaban las personas que no habían podido conseguir entradas. Asistían resignados al desfile de los carruajes de la compañía y, sobre todo, miraban y comentaban la gran pintura de una batalla entre los caras pálidas y los pieles rojas. Detrás del telón, mientas chocaban las jarras de cerveza en las mesas de la cantina, se oían voces que pedían:

Frisch Wasser! Frisch Bier! ¡Agua fresca! ¡Cerveza!

Pero suena una campanilla y se hace un profundo silencio.

Aparecen seis palafreneros, calzados con botas, y se ubican en dos filas delante de la entrada de la pista, cerca de las caballerizas.

Irrumpe entre las filas un caballo al galope, sin riendas ni montura, sobre el que cabalga una nube de muselina, cintas y tules.

Lina, la *écuyère,* hace su aparición.

Empieza la función, con el acompañamiento de la orquesta.

Lina es tan bella que la joven Matilde, hija del cervecero de Oppunciagasse, llena de inquietud, se inclina hacia el joven Floss, su vecino y propietario de una *grocery*, y le murmura al oído:

—¿Me amarás siempre?

Galopa el caballo. Resopla como una locomotora.

Restallan los látigos en el aire.

Los payasos, varios de los cuales se han lanzado a

la pista detrás de la bailarina, se desgañitan gritando y se pegan sonoras bofetadas, mientras que la bailarina gira sin parar sobre el lomo de su corcel.

Estallan los aplausos, y se multiplican cuando ella desaparece detrás de la cortina.

¡El espectáculo es magnífico!

Pero la palabra ¡Sachem!, ¡Sachem! corre de boca en boca entre los espectadores en cuanto cesan los aplausos.

Y mientras los payasos, ante la indiferencia general, ejecutan sus muecas simiescas, los palafreneros traen grandes tablados de madera que colocan en ambos extremos de la pista.

Los músicos han dejado de tocar el *Yankee-Doodle*, y entonan la lúgubre aria del comendador de *Don Juan*.

En ese momento, los mozos del circo tienden el alambre entre los dos tablados.

De pronto, el haz rojo de las bengalas surge en la entrada e inunda la pista con sus sangrientos reflejos.

Todos esperan angustiados al terrible Sachem, el último de los Serpientes Negras.

Pero ¿qué ocurre?

No es el indio el que aparece, sino el director de la compañía en persona, el honorable señor Dean.

Saluda al público y toma la palabra:

—Humildemente suplico a los honorables y benévolos *gentlemen*, así como a las no menos honorables *ladies*, que se queden quietos, no aplaudan y guarden el más absoluto silencio, porque el jefe indio está irritado y más furioso que de costumbre.

Las palabras causan una gran impresión, y ¡cosa curiosa!, esas mismas personalidades de Antílope que destruyeron Chiavatta hace quince años experimentan en ese momento una sensación muy desagradable.

Hace apenas un instante, mientras la bella Lina ejecutaba piruetas sobre el caballo, todos ellos estaban contentos de hallarse cerca de la pista, en ese lugar bajo desde el cual podía apreciarse la totalidad del espectáculo. Ahora, no obstante, lanzan miradas tristes a las gradas más altas del circo, sintiendo, contra las leyes de la física más elementales, que cuanto más abajo están, más se asfixian.

¿Recordaría el Buitre Rojo el pasado? ¿Acaso no había crecido en el seno de la compañía del honorable señor Dean, compuesta de alemanes? ¿Sería posible que no hubiese olvidado? Parece increíble.

El ambiente, quince años de vida de circo, el éxito embriagador, sin duda todo ello ha influido en el alma del Serpiente Negra.

¡Chiavatta! ¡Chiavatta!

Y ellos mismos, los buenos alemanes, ¿acaso no se hallaban en un país que no era el suyo, lejos de su patria, y solo pensaban en ella cuando el *business* lo permitía?

Ante todo, por cierto, lo más importante es comer y beber.

El último de los Serpientes Negras —como los burgueses de Antílope— estaba convencido, sin duda, de esta gran verdad.

Pero un silbido salvaje proveniente de los establos interrumpe de repente las reflexiones de los espectadores. Y Sachem, después de la impaciente espera a la que ha sometido al público, al fin aparece en la pista.

Se oyen, como un murmullo que surge de la muchedumbre, estas palabras:

—¡Es él! ¡Es él!

Y enseguida, el más absoluto silencio.

Solo las bengalas crepitan en la puerta.

Todas las miradas se clavan en la figura del jefe

indio que se yergue en el circo... sobre la tumba de los suyos.

Tiene el aspecto majestuoso... y la altivez de un rey.

La capa forrada de armiño blanco, emblema de los jefes de tribus, le cubre el porte altanero, el cuerpo ágil, y tan salvaje que evoca al temible jaguar.

La cara, como esculpida en bronce, recuerda la cabeza del águila. Y le brillan los ojos con un frío resplandor, dos auténticos ojos de indio, serenos, e incluso indiferentes.

Deja vagar la vista sobre la multitud, como si quisiera elegir una víctima.

Le tiemblan las plumas en la cabeza. Del cinto penden un hacha y un cuchillo para arrancarles a las víctimas el cuero cabelludo.

En la mano, sin embargo, no sostiene un arco, sino una larga pértiga, el balancín del equilibrista de la cuerda floja.

Y entonces, cuando se detiene en el centro de la pista, lanza un espeluznante grito de guerra.

Es el alarido de los Serpientes Negras.

Los que aniquilaron a la población de Chiavatta recuerdan bien aquel aullido siniestro. Y, quién lo creería, los mismos que quince años atrás no temblaron ante ese bramido de los guerreros indios, sienten en ese momento que el sudor les cubre la frente.

—¡Silencio!

El director se acerca al jefe indio y le habla como si quisiera apaciguarlo y calmarlo.

¿La fiera ha sentido el efecto del freno?

Sin duda, porque ahora, calmado, Sachem se balancea sobre la cuerda de alambre.

Con los ojos clavados en la enorme araña de petróleo, avanza.

El alambre se dobla con fuerza y por momentos se vuelve invisible: parece que el indio flotara en el aire.

Sube, desciende, avanza, retrocede, avanza de nuevo, buscando el equilibrio.

Sus brazos extendidos, cubiertos por la capa de armiño, semejan alas gigantescas.

Se tambalea… ¡Se va a caer! ¡No! ¡Se endereza!

Estallan, contenidos, breves aplausos, y luego se apagan.

Y entonces el rostro del jefe indio adquiere una expresión aterradora.

Un resplandor terrible brilla en su mirada fija en las antorchas, y de pronto del pecho le brota un canto de guerra.

¡Qué cosa increíble! ¡El jefe indio canta en alemán! Y el público piensa, con un suspiro de alivio: «¡Ya no conoce la lengua de los Serpientes Negras!».

Pero todo el mundo sigue escuchando el canto que se vuelve cada vez más violento.

Es una mezcla de canto y llamado lastimero, salvaje y ronco, lleno de tonalidades feroces.

Se oyen estas palabras:

Todos los años, después de las grandes lluvias, quinientos guerreros salían de Chiavatta por los senderos de la guerra, por los caminos de las grandes cacerías de la primavera.

Y cuando regresaban, los cueros cabelludos de los caras pálidas adornaban su cintura, mientras soportaban el peso de la carne y de las pieles de bisonte.

Y en honor de ellos, en las tolderías, cantaban y danzaban llenos de júbilo, para gloria del Gran Espíritu.

¡Chiavatta era feliz! Las mujeres trabajaban

en los wigwams, las niñas se convertían en bellas muchachas y los niños aprendían a ser valientes guerreros.

Los guerreros morían en los campos de la gloria y salían de cacería con sus padres en las Montañas de Plata.

Jamás la sangre de mujeres y niños tiñó sus hachas, pues los guerreros de Chiavatta eran hombres generosos.

Chiavatta era poderosa cuando los caras pálidas llegaron del otro lado de los lejanos mares y prendieron fuego a Chiavatta.

Se deslizaron furtivamente en los wigwams mientras todos dormían, y clavaron sus cuchillos en los pechos de los hombres, de las mujeres y los niños.

¡Ya no existe Chiavatta! Sobre su suelo los blancos han construido sus wigwams de piedra.

¡Ya no existe la tribu masacrada! ¡Chiavatta destruida clama venganza!

La voz del jefe indio ha enronquecido.

Su balanceo en la cuerda floja se parece al vuelo del arcángel rojo de la venganza mientras planea inmisericorde sobre la multitud de seres humanos.

Hasta el director Dean se ha puesto inquieto.

Un silencio sepulcral reina en el circo sobre el cual se cierne la amenaza del jefe indio.

¡Solo un niño quedó de toda la tribu!

¡Era pequeño y debilucho, pero juró ante el Espíritu de la Tierra vengar a los suyos!

¡Juró que vería, en medio de un mar de fuego y de sangre, los cadáveres de los caras pálidas, hombres, mujeres y niños por igual…!

Las últimas palabras, apenas articuladas, son más un rugido que un cántico.

De las gradas brota un rumor, parecido al soplo del viento huracanado.

Acucian a las mentes miles de preguntas sin respuesta:

¿Qué va a hacer ese tigre implacable…? ¿Qué presagia…? ¿Se vengará… él… solo? ¿Debemos quedarnos o huir? ¿Defendernos? ¿Pero, cómo?

—*Was ist das? Was ist das?* ¿Qué es esto? ¿Qué está pasando? —murmuran las voces aterrorizadas de las mujeres.

Y en ese momento surge del pecho del jefe indio un alarido que no tiene nada de humano.

Se balancea con más violencia, salta sobre el tablado de madera colocado debajo de la enorme araña y levanta hacia esta la pértiga vengadora.

Un pensamiento pavoroso atraviesa como un relámpago la mente de los miles de espectadores:

—¡Va a romper la lámpara e inundar el circo de petróleo en llamas!

Un grito de terror sale de todas las gargantas.

Pero… ¿qué pasa?

Se oye una orden:

—¡Que nadie se mueva! ¡Que nadie se mueva!

¡El jefe indio ha desaparecido!

¿No ha incendiado el circo? ¿Adónde ha escapado? ¿Dónde se ha escondido?

¡Aquí está! ¡Aquí está de nuevo!

Sachem se ha quedado sin aliento, se lo ve cansando, abatido… Sostiene en la mano un platillo de lata, que pasa entre los espectadores, a la vez que suplica con voz lastimera:

—¡Sean generosos, damas y caballeros! ¡Es mi pequeña ganancia!

Se ensancha el pecho de los espectadores:

«¿Pero entonces... el canto, la amenaza, la lámpara?», piensa el público. «¿Todo eso formaba parte del programa? ¿Solo un truco del director? ¿Un golpe de efecto?»

Y un diluvio de monedas de dólar y medio dólar cae sobre el platillo. ¿Quién va a atreverse a despreciar al último de los Serpientes Negras? ¿Acaso Antílope no se levanta sobre las cenizas de Chiavatta?

¡Aquellas buenas personas tienen un gran corazón!

Después del espectáculo, Sachem bebe cerveza con los asesinos de su pueblo, en señal de amistad.

La influencia que ejerce el medio en el Serpiente Negra es evidente.

Frank R. Stockton

¿La dama o el tigre?

Hace mucho, mucho tiempo vivía un rey semibárbaro, cuyas ideas —aunque algo refinadas y pulidas por
el carácter progresista de sus vecinos lejanos, los la-
tinos— seguían siendo ampulosas, floridas y desbor-
dantes, tal como correspondía a la mitad aún bárbara
de su estirpe. Era un hombre de fantasía exuberante y,
además, de tan irresistible poderío que sus caprichos
se convertían en realidad con solo desearlo. Tenía gran
predilección por conversar consigo mismo, y en cuanto él y su persona se ponían de acuerdo sobre algo, el
asunto se llevaba a cabo sin dilación. Cuando todos los
miembros de su régimen doméstico y político seguían
con docilidad el curso establecido, su carácter era dulce y jovial, pero cuando surgía el menor tropiezo, y
algunos de los orbes se salían de sus órbitas, se volvía
aun más dulce y jovial, pues nada lo complacía más
que enderezar entuertos y aplastar desniveles.

Entre las adquisiciones que habían logrado suavi-
zar a medias su barbarie estaba la de la arena pública
donde, a través de muestras ejemplares de valentía viril
o bestial, las mentes de sus súbditos se refinaban y
cultivaban.

Pero incluso allí se afirmaba la fantasía exuberante
y barbárica. El circo del rey fue construido, no con el
propósito de darle al pueblo la oportunidad de oír los
éxtasis de los gladiadores moribundos, ni de permitirle

contemplar el inevitable desenlace de un conflicto entre opiniones religiosas y fauces hambrientas, sino con fines más aptos para ampliar y desarrollar las energías mentales de los súbditos. El amplio anfiteatro, con las galerías que lo circundaban, las misteriosas bóvedas y los pasajes invisibles, era un agente de justicia poética, donde se castigaba el crimen o se recompensaba la virtud, a través de los decretos imparciales e incorruptibles del azar.

Cuando se acusaba a un súbdito de haber cometido un crimen cuya importancia podía interesar al rey, se anunciaba públicamente que en un día determinado la suerte del acusado quedaría sellada en la arena del soberano, una estructura que tenía bien merecido su nombre. Pues, aunque su diseño y su plano provenían de tierras lejanas, su fin surgió del cerebro de aquel hombre que solo respetaba la tradición de satisfacer su fantasía, como auténtico rey que era, y que imponía en todas las manifestaciones del pensamiento y de la actividad humana el opulento desarrollo del idealismo barbárico.

Cuando el pueblo se reunía en las galerías, el soberano, rodeado de su corte, se sentaba en el trono real a un costado de la arena y hacía una seña. A sus pies se abría una puerta y el acusado salía al anfiteatro. Frente a él, al otro lado del recinto, había dos puertas idénticas y contiguas. El deber y privilegio del reo consistía en acercarse a las puertas y abrir una de ellas. Podía elegir la que quisiera; no estaba sometido a ninguna orientación o influencia que no fuera la del ya mencionado azar, incorruptible e imparcial. Al abrir una de las dos, surgía un tigre hambriento, el más fiero y cruel que hubiesen podido hallar, el cual se arrojaba de inmediato sobre el acusado y lo destrozaba en mil pedazos como castigo por su culpabilidad. No bien quedaba resuelto de este modo el caso del criminal, doblaban las lúgubres campanas de hierro en señal de duelo, surgían fuertes gemidos de las gargantas de los plañideros contratados para la ocasión, ubicados en el borde exterior de la arena, y el numeroso público, con las cabezas inclinadas y los corazones acongojados, se encaminaban lentamente hacia sus hogares, lamentando con gran pesar que alguien tan joven y atractivo, o tan viejo y respetado, hubiera merecido suerte tan nefasta.

Pero si el reo abría la otra puerta, aparecía una dama, la más apropiada para sus años y posición social entre todos los súbditos femeninos de Su Majestad, y con esa dama lo casaban de inmediato en calidad de premio a su inocencia. No importaba que el acusado ya tuviera esposa y familia, o que sus afectos estuvieran comprometidos con una persona de su propia elección; el rey no permitía que cuestiones tan insignificantes interfirieran en sus grandes proyectos de retribución y recompensa. Igual que en el otro caso, las ceremonias se llevaban a cabo de inmediato, y en la arena. Se abría otra puerta a los pies del rey, y un sacerdote, seguido por un séquito de coristas y doncellas que tocaban alegres melodías en cuernos dorados mientras se movían al ritmo de una danza nupcial, se acercaba hacia donde se hallaba la pareja, uno al lado del otro, y la boda se llevaba a cabo con rapidez y alegría. Entonces repicaban las festivas campanas de bronce en señal de felicidad, la gente daba vivas, y el hombre inocente, precedido de niños que arrojaban flores en su camino, conducía a la novia a su hogar.

Este era el método semibárbaro del rey para administrar justicia. Su imparcialidad perfecta era obvia. El criminal no podía saber de cuál de las puertas saldría la dama; abría la que quería, sin poder imaginar si, en el instante siguiente, sería devorado o desposado. En algunas ocasiones el tigre salía de una puerta; en otras, de la puerta contigua. Las decisiones del tribunal no solo eran imparciales, sino también definitivas; el acusado recibía el castigo de inmediato si resultaba culpable, y si demostraba su inocencia, era recompensado en el acto, de buen o mal grado. Era imposible escapar a los juicios de la arena del rey.

La institución llegó a ser muy popular. Cuando la gente se congregaba en uno de los días de aquellos grandes juicios, nunca sabían si habrían de ser testigos de una matanza sangrienta o de una alegre boda. La inseguridad le otorgaba a la ocasión un interés que de otro modo no habría tenido. Así pues, las masas se divertían y quedaban satisfechas, y la parte pensante de la comunidad no podía alegar injusticia contra este plan. ¿Pues acaso la decisión no quedaba en manos del propio acusado?

El rey semibárbaro tenía una hija tan exuberante como sus más floridas fantasías, y con un espíritu tan apasionado y autoritario como el suyo. Como suele ocurrir en estos casos, era la niña de sus ojos y la quería más que a toda la humanidad. Entre los cortesanos, había un muchacho que ostentaba esa pureza de sangre y esa humildad de rango que suelen ser comunes en los héroes convencionales de los relatos románticos, esos jóvenes que terminan por enamorarse de las princesas reales. La princesa se sentía muy satisfecha con su amante, pues era atractivo y valiente hasta un grado inigualable en todo el reino, y ella lo amaba con una pasión que contenía la suficiente cantidad de barbarismo para hacerla ardiente y fogosa en extremo. La relación amorosa prosperó alegremente durante varios meses, hasta que un día el rey descubrió de casualidad el amorío. No dudó ni titubeó en cuanto al cumplimiento de su deber. El joven fue encarcelado de inmediato, y se fijó el día del juicio en el circo del rey. Esta era, pues, una ocasión de especial importancia, y Su Majestad, al igual que todo el pueblo, se interesó muy en especial por los preparativos y el desarrollo del juicio. Nunca antes había ocurrido nada parecido; jamás un súbdito se había atrevido a amar a la hija del rey. Años después, cosas por el estilo se volvieron muy comunes, pero entonces no dejaban de ser nuevas y, en gran medida, pasmosas.

Buscaron, en las jaulas de tigres de todo el reino, a las bestias más salvajes e implacables, a fin de poder elegir para la arena al monstruo más cruel; y jueces competentes examinaron con cuidado las filas de doncellas jóvenes y hermosas de toda la comarca, con el propósito de hallar una novia adecuada para el joven, en caso de que el azar no le deparara un destino diferente. Todo el mundo sabía, por supuesto, que los cargos de la acusación eran ciertos. El muchacho había amado a la princesa; y ni a él, ni a ella, ni a nadie para el caso, se le hubiera ocurrido refutarlo. Pero el rey de ningún modo iba a permitir que un hecho semejante se inmiscuyera en los procedimientos de un tribunal que tanto deleite y satisfacción le procuraba. Más allá del resultado, la suerte del joven estaba echada, y el rey obtendría un enorme placer estético con solo observar la marcha de los acontecimientos, los cuales determinarían, al fin y al cabo, si el mancebo había hecho bien o mal en amar a la princesa.

Llegó el día fijado. Acudieron gentes desde los lugares más cercanos y lejanos, y abarrotaron las grandes galerías de la arena; y multitudes, sin posibilidades de ingresar, se agolparon en las murallas exteriores. El rey y su corte se ubicaron en sus respectivos sitios, frente a las puertas gemelas, esos fatídicos portales, tan terribles en su igualdad.

Todo estaba listo. Se dio la señal. Se abrió la puerta ubicada debajo del palco real y apareció en la arena el amante de la princesa. Alto, bello, rubio, su entrada fue recibida con un murmullo de admiración y ansiedad. La mitad del público ignoraba que hubiera vivido entre ellos un joven de tanta apostura. ¡No era sorprendente, pues, que la princesa lo amara! ¡Qué terrible situación en la que se encontraba!

Mientras el joven avanzaba por la arena, se dio vuelta, como era costumbre, para inclinarse ante el rey, pero no pensaba en absoluto en ese personaje real. Tenía los ojos puestos en la princesa, que estaba sentada a la derecha de su padre. De no haber sido por la mitad barbárica de su naturaleza es probable que la dama no hubiese estado allí, pero su alma apasionada y ardiente no le hubiera permitido faltar a una ocasión que le interesaba de modo tan terrible. Desde el instante en que apareció el decreto que decidía la suerte de su amado en el circo del rey, solo había pensado, noche y día, en ese gran acontecimiento y en los varios aspectos que lo rodeaban. Como tenía más poder, influencia y carácter que cualquier otra persona que se hubiera interesado en un caso semejante, logró lo que nadie había logrado hasta entonces: poseer el secreto de las puertas.

La princesa sabía en cuál de los dos recintos, ubicados detrás de las puertas, se encontraba la jaula del tigre, con la reja abierta, y en cuál esperaba la dama. Era imposible que a través de las macizas puertas, tapizadas con pieles gruesas y pesadas, le llegara ningún ruido o presentimiento a la persona que debía acercarse para abrir el cerrojo de una de ellas. Pero el oro, y la fuerza de voluntad propia de la mujer, le revelaron el secreto a la princesa. Y no solo sabía en cuál de los recintos se encontraba la dama, ya lista para presentarse radiante y sonrojada no bien abrieran la puerta, sino también quién era ella. La doncella elegida para recompensar al joven acusado, si llegaba a demostrar su inocencia tras el delito de pretender a una persona de tan alta alcurnia, era una de las damiselas más bellas y encantadoras de la corte... y la princesa la odiaba.

Había visto a menudo, o creído ver, que esa hermosa criatura le lanzaba miradas de admiración a su amado, y a veces hasta llegó a pensar que las miradas eran advertidas por el joven e incluso correspondidas. En una y otra oportunidad, los había visto conversando, uno o dos momentos solamente, pero mucho puede decirse en tan breve tiempo. Hablaron quizá de cosas sin importancia, ¿pero cómo podría saberlo? La muchacha era encantadora, y sin embargo, se había atrevido a posar los ojos en el amante de la princesa, y con toda la intensidad de la sangre salvaje heredada de infinitas generaciones de antepasados bárbaros, detestaba a la mujer que se ruborizaba y temblaba detrás de la puerta silenciosa.

Cuando el amado se dio vuelta y las miradas de ambos se encontraron —mientras la princesa permanecía sentada, más pálida y blanca que ninguna en el vasto océano de rostros angustiados que la rodeaban—, el joven percibió, gracias al poder de la rápida percepción que les es otorgado a los que fusionan sus almas en una sola, que ella sabía detrás de cuál puerta se agazapaba el tigre y detrás de cuál se hallaba la dama. El joven no hubiera esperado menos de la princesa. Conocía su carácter, y dentro de sí, en lo más recóndito de su alma, estaba seguro de que ella no descansaría hasta develar la incógnita, ignorada por todos los presentes, incluso por el rey. La única esperanza certera del joven se basaba en el éxito de la princesa en disipar el misterio; y en el instante en que la miró, supo que lo había logrado, como ya lo sabía en lo más profundo de su alma.

Fue entonces cuando, con una mirada rápida y ansiosa, le lanzó la pregunta: «¿Cuál?». La princesa la comprendió como si se la hubiera hecho a los gritos desde donde estaba. No había un momento que perder. La pregunta salió como un rayo y del mismo modo fue respondida.

El brazo derecho de la princesa estaba apoyado sobre el parapeto acolchado. Levantó la mano e hizo un movimiento leve y rápido hacia la derecha. Nadie más que su amante la vio. Todas las miradas estaban fijas en el hombre en la arena.

El joven se dio vuelta, y con paso seguro y firme caminó a través del espacio vacío. Sin dudar un instante, fue hacia la puerta derecha y la abrió.

Ahora bien, el meollo de esta historia es el siguiente: ¿salió el tigre por esa puerta, o la dama?

Cuanto más lo pensamos, más difícil es la respuesta. Exige un estudio del corazón humano que nos llevaría a través de tortuosos laberintos de pasión, de los que nos sería muy difícil salir. Piénsalo, estimado lector, no como si la decisión dependiera de ti, sino de aquella princesa semibárbara y apasionada, de alma incandescente debajo de los fuegos combinados de la desesperanza y los celos. Lo había perdido, ¿pero quién habría de poseerlo?

¡Cuántas veces, en sueños y en las horas de vigilia, la sobresaltaba el horror y se cubría la cara con las manos al imaginar que su amante abría la puerta donde lo esperaban los crueles colmillos del tigre!

¡Pero cuántas veces más lo había visto en la otra puerta! Cómo, en sus dolorosos ensueños, rechinaba los dientes y se arrancaba los cabellos al ver el extasiado deleite del joven mientras abría la puerta de la dama. Cómo su alma agonizaba cuando lo veía correr hacia esa mujer, de mejillas sonrojadas y ojos resplandecientes de triunfo; cuando la llevaba del brazo, con todo el cuerpo radiante de felicidad por haber recuperado la vida; cuando oía los gritos jubilosos de la muchedumbre y el tañido alocado de las alegres campanas; cuando veía al sacerdote acercarse a la pareja, seguido de su séquito festivo, para convertirlos en marido y mujer ante sus propios ojos; y cuando los veía alejarse juntos por el sendero de flores, acompañados del impresionante griterío de la dichosa multitud, donde se ahogaba su solitario grito de desesperación y se perdía para siempre.

¿No sería mejor para él morir al instante, y esperarla en las benditas regiones semibárbaras del eterno porvenir?

¡Y sin embargo, ese horrible tigre, esos alaridos, esa sangre!

Había tomado su decisión en un instante, pero solo después de noches y días de angustiosa deliberación. La princesa supo que el joven le haría la pregunta, decidió la respuesta y, sin el menor titubeo, movió la mano hacia la derecha.

El problema de su decisión no debe tomarse a la ligera. Y yo no soy nadie para pretender ser el único capaz de resolverlo. Por lo tanto se lo planteo a ustedes. ¿Quién salió por la puerta? ¿La dama o el tigre?

Mark Twain

El disco de la muerte[1]

I

Eran los tiempos de Oliver Cromwell. El coronel Mayfair era el oficial más joven de su rango en los ejércitos del Commonwealth; solo tenía treinta años. No obstante, a pesar de su juventud, ya era un veterano curtido por los rigores de la guerra, pues había empezado su vida militar a los diecisiete años. Participó en muchos combates, y su coraje en el campo de batalla le valió, poco a poco, su alto cargo en el servicio y la admiración de los hombres. Pero ahora se veía en serias dificultades; una sombra se cernía sobre su futuro.

Caía la noche invernal, y afuera azotaba la tormenta y la oscuridad. Adentro, reinaba el silencio melancólico, pues el coronel y su joven esposa hablaron de su dolor hasta el cansancio, leyeron la Biblia y rezaron la oración de la noche, y ya no podían hacer otra cosa que quedarse sentados, tomados de la mano, mirando el fuego, y pensar... y esperar. No tendrían que esperar mucho tiempo, lo sabían, y la esposa se estremeció al pensarlo.

Tenían una sola hija, Abby, de siete años, adorada por ambos. La niña no tardaría en bajar a darles el beso de las buenas noches, y el coronel decidió hablar en ese momento:

1 Un emotivo incidente mencionado en *Cartas y discursos de Oliver Cromwell*, de Carlyle, inspiró el presente cuento. [M. T.]

—Sécate las lágrimas y aparentemos alegría, por su bien. Tenemos que olvidar por ahora lo que va a ocurrir —dijo.

—Lo haré. Los guardaré en mi corazón, que se está destrozando.

—Y aceptaremos lo que nos ha de venir, y lo soportaremos con paciencia, sabiendo que Él todo lo hace con rectitud y bondad.

—Y diciendo: hágase Su voluntad. Sí, puedo decirlo desde el fondo de mi alma y mi mente... y también lo diría desde el fondo de mi corazón, si pudiera. ¡Ah, si pudiera! Si esta querida mano que oprimo y beso por última vez...

—¡Calla, mi amor! ¡Ya viene la niña!

Una pequeña figura de cabellos rizados, en camisón, se apareció por la puerta y corrió hacia su padre, que la abrazó y la besó con fervor una, dos y tres veces.

—¡Papi! No me beses así, que me enredas el cabello.

—Ah, lo siento, lo siento mucho. ¿Me perdonas, querida?

—Pero, por supuesto, papi. ¿Pero *de verdad* lo sientes? ¿No estás fingiendo, y realmente lo sientes?

—Bueno, juzga por ti misma, Abby —y el coronel se cubrió la cara con las manos y simuló sollozar.

La niña se llenó de remordimientos al ver el hecho trágico que había causado, y empezó a llorar, a tirar de las manos de su padre y a decir:

—¡Ay, no, papi, por favor no llores! Abby no lo dijo en serio; Abby nunca lo volverá a hacer. Por favor, papi —mientras tiraba y se esforzaba por separar los dedos, vio fugazmente un ojo detrás de la mano, y exclamó—: Ah, papi travieso, ¡no estás llorando! ¡Es una broma! Y ahora Abby se va con su mamá, porque tú no tratas bien a Abby.

La niña intentó bajarse, pero su papá la abrazó con fuerza y le dijo:

—No, quédate conmigo, querida. Papi se portó mal y lo admite, y lo siente mucho. Ahí está, déjalo que te bese las lágrimas; le pide perdón a Abby, y hará todo lo que Abby le diga que debe hacer, como castigo. Ya los besos secaron las lágrimas y ni uno de los rizos se despeinó... y lo que Abby mande...

Y se reconciliaron; en un instante volvió la alegría y se le iluminó la cara a la niña, que empezó a acariciar las mejillas de su papá, mientras nombraba el castigo:

—¡Un cuento! ¡Un cuento!

¡Atención!

Los padres contuvieron el aliento y escucharon. ¡Pasos, apenas perceptibles entre las ráfagas de viento! Se acercaban poco a poco —más fuertes, más fuertes—, y luego pasaron de largo y desaparecieron. Los padres respiraron aliviados, y el papá dijo:

—¿Quieres un cuento, dijiste? ¿Alegre?

—No, papi, uno de miedo.

El padre quería contar un cuento alegre, pero la niña insistía en sus derechos... tal como acordaron, podía obtener lo que ordenara. El coronel era un buen soldado puritano y había dado su palabra. Se dio cuenta de que tenía que respetarla.

—Papi —explicó la niña—, no tienes que contarme cuentos alegres todo el tiempo. La niñera dice que la gente no siempre vive momentos felices. ¿Es cierto, papi? Ella *dice* eso.

La mamá dio un suspiro, y volvió a pensar en sus problemas.

—Es cierto, querida —respondió el padre, con suavidad—. Siempre llegan las preocupaciones. Es una lástima, pero es verdad.

—Ah, entonces cuéntame algún cuento sobre ellas, papi... uno de miedo, así todos temblamos y hacemos como que nos pasa a *nosotros*. Mami, acércate y toma a Abby de la mano, de modo que si es demasiado terrible, va a ser más fácil que lo soportemos todos juntos, sabes. Ya puedes empezar, papi.

—Bueno, había una vez tres coroneles...

—¡Ah, qué bien! *Yo* conozco coroneles. Es fácil, porque tú eres uno y sé cómo se visten. Sigue, papi.

—Y durante una batalla cometieron una falta de disciplina.

Las palabras importantes le resultaron agradables a Abby, y levantó la vista, llena de asombro y de interés:

—¿Eso se come? ¿Es rico, papi? —preguntó.

Los padres esbozaron una sonrisa, el coronel contestó:

—No, es otra cosa, querida. Se extralimitaron en el cumplimiento de sus órdenes.

—¿Y eso se...?

—No, tampoco se come, igual que lo otro. Se les ordenó simular un ataque a un puesto muy defendido durante una batalla ya casi perdida, con el fin de dispersar al enemigo para que las fuerzas del Commonwealth tuvieran la posibilidad de retroceder; pero, llevados por el entusiasmo, pasaron por alto las órdenes y convirtieron la simulación en un hecho real. Tomaron el puesto por asalto, salieron victoriosos y ganaron la batalla. El general su puso furioso por su desobediencia. Los elogió mucho, pero los mandó a Londres para que los sometieran a juicio.

—¿Ese es el gran general Cromwell, papi?

—Sí.

—¡Ah, yo lo he *visto*, papi! Y cuando pasa delante de nuestra casa, tan magnífico en su caballo grande, con los soldados, parece tan... tan... bueno, no sé cómo, solo que parece que no está contento, y se nota que la gente le tiene miedo. Pero yo no le tengo miedo, porque a mí no me mira así.

—Ah, mi querida charlatana. Bueno, los coroneles fueron a Londres como prisioneros y, bajo su palabra de honor, les permitieron ir a ver a sus familias por última...

¡Atención!

Se quedaron escuchando en silencio. De nuevo pasos, pero una vez más siguieron de largo. La mamá recostó la cabeza sobre el hombro de su marido para ocultar su palidez.

—Llegaron esta mañana.

La niña abrió los ojos, llenos de asombro.

—Pero, papi, ¿es un cuento *verdadero*?

—Sí, querida.

—¡Qué bueno! Así está mucho mejor. Sigue, papi. ¡Pero, mami! Querida mami, ¿estás llorando?

—No me hagas caso, preciosa. Estaba pensando en... en... las pobres familias.

—Pero *no* llores, mami; todo va a salir bien... vas a ver; los cuentos siempre terminan bien. Sigue, papi, hasta la parte en que vivieron felices y comieron perdices; así ya no va a llorar. Ya vas a ver, mami. Sigue, papi.

—Antes de dejar que volvieran a su casa, los llevaron a la Torre.

—¡Ah, *yo* conozco la torre! Desde aquí podemos verla. Sigue, papi.

—Sigo lo mejor que puedo... bajo las circunstancias. En la Torre la corte militar los juzgó durante una hora, los declaró culpables y los condenó a ser fusilados.

—¿A *morir*, papi?

—Sí.

—¡Ay, qué malos!

—*Querida* mami, estás llorando otra vez. No lo hagas, mami; pronto va a llegar a la parte buena... vas a ver. Apúrate, papi. Hazlo por mami. Tienes que contarlo más rápido.

—Sí, lo sé, pero es porque me detengo mucho a reflexionar, supongo.

—Pero no debes *hacerlo*, papi. Tienes que seguir adelante.

—Muy bien, pues. Los tres coroneles...

—¿Los conoces, papi?

—Sí, mi amor.

—Ay, a mí me gustaría conocerlos. Me encantan los coroneles. ¿Crees que me dejarían que les diera un beso?

Al coronel le tembló un poco la voz cuando le respondió:

—*Uno* de ellos, sí, preciosa. A ver... dame un beso por él.

—Toma, papi... y estos dos son para los otros. Creo que sí me dejarían que los besara, papi, porque les diría: «Mi papá también es un coronel, y muy valiente, y él hubiera hecho lo mismo que ustedes, así que no *puede* ser tan malo, digan lo que digan esas personas, y no tienen que avergonzarse de nada». Entonces me dejarían besarlos, ¿no es cierto, papi?

—¡Dios sabe que sí, hija mía!

—Mami... ay, mami, no debes llorar. Ya va a llegar a la parte feliz. Sigue, papi.

—Entonces, algunos se arrepintieron... en realidad, todos. Me refiero a la corte militar. Y fueron a ver al general, y le dijeron que habían cumplido con su deber —porque *era* su deber, sabes—, y ahora le rogaban que perdonara a dos de los coroneles y que solo fusilaran al otro. Les parecía que uno sería suficiente como ejemplo para el ejército. Pero el general era muy severo y les reprochó que, habiendo llevado a cabo su deber y aliviado su conciencia, quisieran inducirlo a ser menos y mancillar de ese modo su honor de soldado. Pero le respondieron que no le estaban pidiendo nada que ellos mismos no harían si ocuparan tan alto cargo y tuvieran en sus manos la prerrogativa del perdón. Eso lo impresionó. Hizo una pausa y se quedó pensando, mientras desaparecía la severidad de su rostro. Entonces les pidió que esperaran y se retiró a su gabinete a pedirle consejo a Dios por medio de la oración. Y cuando volvió a salir, les comunicó: «Harán un sorteo. Lo decidirán ellos, y dos conservarán la vida».

—¿Y lo hicieron, papi, lo hicieron? ¿Y cuál va a morir? Ay, pobre hombre.

—No. Se negaron.

—¿No lo hicieron, papi?

—No.

—¿Por qué?

—Dijeron que el que sacara el grano fatal se condenaría a sí mismo a morir a través de un acto voluntario, y eso no sería otra cosa que suicidio, lo llames como lo llames. Afirmaron que eran cristianos y que la Biblia les prohíbía a los hombres que se quitaran la vida. Enviaron esa respuesta y dijeron que estaban listos… y que ejecutaran nomás la sentencia de la corte.

—¿Eso qué quiere decir, papi?

—Que… que los van a fusilar.

¡Atención!

¿El viento? No. Tram… tram… r-r-r-amble, damdam… r-r-r-amble, damdam…

—¡Abran! ¡En nombre del general!

—Ay, qué bueno, papi. ¡Son los soldados! ¡Me gustan los soldados! *¡Déjame abrirles, papi, déjame a mí!*

Pegó un salto, corrió hacia la puerta y la abrió, gritando contenta:

—¡Pasen, pasen! Aquí están, papi. ¡Granaderos! ¡Conozco a los Granaderos!

Entraron los soldados y se pusieron en fila con las armas al hombro. El oficial saludó, mientras el coronel condenado se mantenía derecho y devolvía el saludo. Su esposa estaba a su lado, pálida y con las facciones contraídas por el sufrimiento interno, pero sin dar ninguna otra muestra de dolor, en tanto la niña observaba el espectáculo con ojos chispeantes…

Un largo abrazo, del padre, la madre y la niña. Luego la orden: «A la Torre… ¡Marchen!». Entonces el coronel salió de la casa marchando con paso y porte militar, seguido de la fila de soldados. Entonces, se cerró la puerta.

—Ay, mami. ¿No es cierto que resultó lindo? Te lo *dije*, y se van a la Torre, y papi los *va a ver*. Él…

—Ah, ven a mis brazos, pobre niña inocente…

II

A la mañana siguiente, la afligida madre no pudo dejar la cama. Los médicos y las enfermeras estaban a su lado y de vez en cuando susurraban entre ellos. A Abby no le permitían entrar en la habitación y le dijeron que saliera a jugar, que mamá estaba muy enferma. La niña, bien abrigada, salió y jugó en la calle un rato, pero entonces le pareció raro, y también mal, que su papá estuviera en la Torre sin saber lo que estaba ocurriendo en su casa. Había que remediar esa situación, y ella lo haría en persona.

Una hora después, la corte militar recibió órdenes de presentarse ante el general. Este se encontraba de pie, ceñudo y en posición rígida, con los nudillos apoyados sobre la mesa, y les indicó que estaba listo para escuchar el informe.

—Les hemos pedido que vuelvan a considerar su decisión —dijo el vocero—, se lo hemos implorado. No obstante, insisten. No van a hacer el sorteo. Están dispuestos a morir, pero no a profanar su religión.

La cara del regente se ensombreció, pero no dijo nada. Se quedó pensando un rato y luego expuso:

—No morirán los tres. Otros harán el sorteo —los rostros de los miembros de la corte brillaron de gratitud—. Vayan a buscarlos y ubíquenlos en esa habitación. Que se coloquen uno junto al otro, con la cara vueltas hacia la pared y las muñecas cruzadas a la espalda. Avísenme en cuanto estén allí.

Cuando se quedó solo, se sentó y de inmediato le dio una orden a un asistente:

—Vaya y tráigame al primer niño que pase por la puerta.

El soldado no demoró ni un segundo en volver; llevaba a Abby de la mano, cuya ropa estaba apenas cubierta de nieve. La niña fue derecho hacia el jefe de Estado, ese formidable personaje que hacía temblar a los soberanos y poderosos de la tierra ante la sola mención de su nombre, y se sentó en su regazo:

—Lo *conozco*, señor —dijo la niña—. Usted es el general. Lo he visto. Lo he visto mientras pasaba delante de mi casa. Todos le tenían miedo, pero yo no, porque usted no parecía enojado conmigo. Lo recuerda, ¿verdad? Llevaba puesto mi vestido rojo con adornos azules en la parte de adelante. ¿No se acuerda?

Una sonrisa suavizó las líneas austeras de la cara

del regente, y se esforzó por encontrar una respuesta diplomática:

—Este… déjame ver… yo…

—Me encontraba justo delante de la casa, mi casa, ¿sabe?

—Bueno, linda criaturita, debería sentirme avergonzado, pero te diré que…

La niña lo interrumpió, con tono de reproche:

—Ya veo: *no* lo recuerda. ¿Por qué? Yo no me olvidé de *usted*.

—Ahora sí que me siento avergonzado, pero no te voy a olvidar otra vez, querida niña. Te doy mi palabra. ¿Podrás disculparme, por un momento? Y seguiremos siendo buenos amigos para toda la vida, ¿verdad?

—Sí, de verdad que sí. No sé cómo pudo olvidarlo. Debe ser muy olvidadizo, pero yo también lo soy a veces. De todos modos, puedo perdonarlo sin ningún problema, pues creo que usted *quiere* ser bueno y hacer bien las cosas, y creo también que es muy bondadoso… pero tiene que darme un abrazo, como hace papi. Hace frío.

—Te daré todos los abrazos que quieras, linda amiguita, y serás mi *vieja* amiga para siempre, de aquí en adelante, ¿no es cierto? Me recuerdas a mi hija cuando era niña. Ya no lo es, pero era amable, dulce y delicada como tú. Tenía tu encanto, pequeña hechicera, tu irresistible y dulce confianza en los amigos y en los extraños por igual, esa confianza que somete a voluntaria esclavitud a todo aquel que reciba su precioso halago. Solía quedarse en mis brazos, como lo haces tú ahora, y alejaba con su encanto el cansancio y las preocupaciones de mi corazón, y le daba paz, como lo haces tú ahora. Éramos camaradas e iguales, y compañeros de juego. Hace ya mucho tiempo que desapareció y se desvaneció ese agradable paraíso, pero tú me lo has traído de nuevo. ¡Recibe por ello la bendición de un hombre agobiado, pequeña criatura, tú que soportas el peso de Inglaterra mientras yo descanso!

—¿La quería usted mucho, mucho, *mucho*?

—Ah, a ver qué opinas: ella daba órdenes y yo obedecía.

—Creo que usted es encantador. ¿Quiere darme un beso?

—Con gusto… y, además, lo considero un privilegio. Toma… Este es para ti, y este es para ella. Solo me lo pediste y podrías habérmelo ordenado, porque la representas, y lo que mandas, debo obedecer.

La niña aplaudió encantada ante la idea de esa gran promoción, y entonces oyó un ruido cercano, el paso fuerte y regular de hombres marchando.

—¡Soldados, soldados, general! ¡Abby quiere verlos!

—Los verás, querida, pero espera un momento. Tengo que encargarte una misión.

Entró un oficial e hizo una profunda reverencia.

—Ya llegaron, Alteza —anunció, volvió a hacer una reverencia y se retiró.

El jefe de Estado le dio a Abby tres pequeños discos de cera, dos blancos y uno rojo subido: pues esta misión sellaría la muerte del coronel al que le tocara el rojo.

—¡Ah, qué lindo disco rojo! ¿Son para mí?

—No, querida niña. Son para otros. Levanta la punta de esa cortina, allí, que oculta una puerta abierta; crúzala y vas a ver a tres hombres en fila, de espaldas a ti y con las manos atrás… así… cada uno con una mano abierta… igual que una taza. Pon una de estas cosas en cada una de las manos abiertas, y luego regresa a donde estoy yo.

Abby desapareció detrás de la cortina, y el regente se quedó solo.

—Sin duda —dijo, piadosamente—, se me ha ocurrido ese buen pensamiento durante mi estado de perplejidad, y me lo ha enviado Él, que siempre está presente para ayudar a los que vacilan y buscan Su auxilio. Él sabe dónde debe recaer la elección, y ha enviado a Su mensajero libre de pecado para que se cumpla Su voluntad. Otro se equivocaría, pero Él no se equivoca. Los caminos del Señor son maravillosos y sabios… ¡Bendito sea Su santo nombre!

La pequeña hada cerró la cortina tras ella y se detuvo un instante para examinar con curiosidad y avidez el mobiliario de la cámara nefasta, las rígidas figuras de la soldadesca y los prisioneros. Entonces se le iluminó la cara de alegría, y se dijo: «¡Caramba, uno de ellos es papi! Reconozco su espalda. ¡Le voy a dar el más bonito!». Se acercó contenta y dejó caer los discos en las manos abiertas; luego se asomó por debajo del brazo de su papá, levantó el rostro sonriente y exclamó:

—¡Papi! Mira lo que tienes. ¡Te lo di yo!

El padre le echó un vistazo al regalo fatal, cayó de rodillas y, en un paroxismo de amor y compasión, estrechó contra su pecho a su inocente y pequeño verdugo. Los soldados, los oficiales, los prisioneros en libertad, todos se quedaron paralizados por un instante ante la enormidad de la tragedia. Pero entonces la conmovedora escena les rompió el corazón, se les llenaron los ojos de lágrimas y lloraron sin pudor. Durante unos minutos, hubo un silencio profundo y reverente. Luego el oficial de la guardia se adelantó, de mala gana, y tocó al prisionero en el hombro, mientras le decía, con suavidad:

—Me apena, señor, pero el deber me lo ordena.

—¿Ordena qué? —preguntó la niña.

—Tengo que llevármelo. Lo siento mucho.

—¿Llevárselo? ¿Adónde?

—A… a… ¡Dios me ayude! A otro lado de la fortaleza.

—Pero no puede. Mi mamá está enferma y voy a llevarlo a casa—. La niña se soltó, se trepó sobre la espalda de su padre y le pasó los brazos alrededor del cuello—. Abby ya está lista, papi. Vamos.

—Mi preciosa niña, no puedo. Debo irme con ellos.

La niña saltó al suelo y miró a su alrededor, perpleja. Entonces corrió hacia el oficial, pegó una patada en el suelo, indignada, y le gritó:

—Le dije que mi mamá está enferma, y debería escucharme. Suéltelo. ¡Debe hacerlo!

—Ay, pobre niña. Ojalá Dios me lo permitiera, pero realmente debo llevármelo. ¡Atención, guardias! ¡En fila! ¡Armas al hombro…!

Abby desapareció como un rayo.

No tardó en regresar, arrastrando al general de la mano. Ante aquella formidable aparición, todos los presentes asumieron la posición de firmes, los oficiales hicieron el saludo y los soldados presentaron armas.

—¡Deténgalos, señor! Mi mamá está enferma y necesita a mi papá. Les *dije* que lo soltaran, pero no me escucharon, ni me hicieron caso y se lo están llevando.

El general se quedó inmóvil, como aturdido.

—¿Tu papá, hija mía? ¿Él es tu papá?

—Pero por supuesto. *Siempre* lo ha sido. ¿Acaso le hubiera dado el lindo disco rojo a otro, cuando quiero *tanto* a mi papi? ¡No!

Una expresión de horror transfiguró la cara del regente.

—¡Que Dios me ayude! —exclamó—. ¡Por culpa de las artimañas de Satanás he cometido el acto más

cruel que puede cometer un hombre! Y no tiene remedio, no tiene remedio. ¿Qué puedo hacer?

Angustiada e impaciente, Abby exclamó:

—¿Por qué no les dice que lo suelten? —y empezó
a llorar—. ¡Dígales que lo hagan! Usted me dijo que
diera órdenes, y ahora, la primera vez que le ordeno
que haga algo, no lo hace.

Una luz suave iluminó el rostro viejo y arrugado, y
el general posó la mano sobre la cabeza de la pequeña
tirana.

—Gracias a Dios —dijo— por esa promesa impen-
sada, ese accidente que nos ha salvado, y gracias a ti,
inspirada por Él, por recordarme mi juramento olvidado. ¡Ah, niña incomparable! Oficial, obedezca sus
órdenes… ella habla por mí. El prisionero está perdonado. ¡Déjelo en libertad!

Sobre los autores

Alexander Afanasiev (1826-1871) nació en Rusia y estudió Derecho en la Universidad de Moscú, pero el folclore y la etnografía fueron su verdadera vocación, y acabó siendo una de las mayores autoridades del siglo XIX en esas materias. Como investigador realizó importantes trabajos *(Brujos y brujas, Historia de los cosacos)*, pero entre 1855 y 1863 dio a conocer su obra más célebre, los *Cuentos populares rusos,* publicados en ocho volúmenes. Allí recogió más de seiscientas fábulas y relatos procedentes de la narrativa popular, tal como hicieron los hermanos Grimm en Alemania. Pero a diferencia de ellos, no solo agrupó los textos por tópicos, sino que se negó a editarlos para adaptarlos con los estándares morales de la época, decisión que lo enfrentó con los censores del Gobierno, y le valió —Afanasiev trabajaba en el archivo central del Ministerio de Asuntos Exteriores— una acusación por acceso ilegal a los archivos del Gobierno. Desde ese momento llevó una vida de penurias y murió de tuberculosis, a los 45 años.

Leonid Andréiev (1871-1919) nació en Orel y vivió las últimas décadas de la Rusia de los zares, que arrasaría la revolución bolchevique de 1917. Vivió una infancia y una juventud plagada de problemas económicos.

Estudió Derecho —se licenció en 1891— pero para principios del siglo XX había conseguido hacerse un nombre como escritor, fama que se consolidaría en 1908, cuando publicó *Los siete ahorcados*. Sus páginas alcanzan por momentos un patetismo tal, que el mismo Chéjov dijo sobre ellas: «Después de haber leído dos de ellas, hay que dar un paseo y respirar dos horas de aire fresco». Fue solidario con la revolución, de la que luego renegó para exiliarse en Finlandia. Murió en la miseria. Otras obras: *La risa roja, El que recibe las bofetadas*.

Ambrose Bierce (1842-¿1914?) tuvo una vida en la que nada dejó de ser extraordinario. Nació en Ohio, Estados Unidos, y fue el menor de nueve hijos a los que sus padres bautizaron con nombres que empezaban con la letra A. Una de sus hermanas, misionera, fue devorada por caníbales en África; participó y fue herido en la Guerra de Secesión; de regreso del campo de batalla y casado, asistió a la muerte de dos de sus hijos. Como periodista, fue el crítico más temido de su tiempo; cuando quiso ejercitar su cinismo creativo escribió un libro brillante: el *Diccionario del diablo;* al dedicarse a la narrativa breve, logró ser comparado con Poe. Inagotable, a los 71 años, en plena Revolución Mexicana, se enroló en el ejército de Pancho Villa y desapareció sin dejar otro rastro que el de sus obras: *Cuentos de soldados y civiles, El club de los parricidas.*

Antón Chéjov (1860-1904) nació en Ucrania, en el seno de una familia que descendía de siervos de la gleba, y fue autor de decenas de cuentos cortos. Se recibió de médico pero gracias a las buenas críticas que obtuvieron sus primeros escritos se dedicó de lleno a la literatura. Autor de obras de teatro tan célebres como *La gaviota, El jardín de los cerezos y Las tres hermanas,* se casó con la actriz Olga Knipper y murió en el transcurso de uno de sus tantos viajes, en el balneario alemán de Badenweiler. Cierta vez le preguntaron al gran escritor estadounidense Raymond Carver si creía que sus cuentos eran minimalistas, a lo que él respondió: «¿Minimalismo? La verdad que no sé qué es eso del minimalismo. Yo solo quería escribir como Chéjov».

Kate Chopin (1851-1904) nació en Missouri, Estados Unidos, en una de las familias más aristocráticas de la ciudad de Saint Louis. Cuando tenía solo cinco años su padre, un rico comerciante, murió en un accidente. Así, Chopin creció rodeada de viudas: su madre, su abuela, su bisabuela. Fue a su vez una madre poco común —usaba ropas extravagantes, fumaba y tomaba alcohol en una época en que nada de esto era habitual— y, antes de enviudar ella misma, tuvo seis hijos. Su carrera literaria comenzó a los 37 años, publicando textos en las revistas más conocidas del momento: llegó a escribir más de cien cuentos y dos novelas, *Una noche en Acadia y El despertar,* que causó cierto revuelo al abordar el adulterio —uno de sus tópicos favoritos— desde una óptica femenina. Sus cuentos completos aguardan, increíblemente, una traducción al castellano.

Stephen Crane (1871-1900) nació en Newark, Nueva Jersey, y fue el menor de catorce hermanos. En 1890 viajó a Nueva York para trabajar como cronista en los barrios bajos de la ciudad. Con lo que vio y vivió tramó su primera novela *(Maggie, una chica de la calle),* que publicaría en 1893 con el dinero de una herencia. El libro pasó inadvertido, pero con el próximo, *La roja insignia del valor* (1895), tuvo mucha mejor suerte: la novela fue señalada como un notable estudio psicológico de un joven soldado durante la Guerra Civil estadounidense —a pesar de que Crane jamás había estado en el frente de batalla. Luego lo contrataron, sí, como corresponsal de guerra, pero en 1896 el barco que lo llevaba en una expedición a Cuba naufragó, y sobrevivió de milagro (se asegura que inspirado en el accidente escribió los cuentos de *El barco abierto*), aunque enfermó de malaria. A su regreso se estableció en Inglaterra, donde conoció a Joseph Conrad y a Henry James, y publicó libros de poesía como La guerra es *amable* (1899). En sus últimos años contrajo múltiples deudas y murió de tuberculosis en Badenweiler, Alemania. Tenía solo 28 años.

Rubén Darío (1867-1916) nació, como Félix Rubén García Sarmiento, en Metapa —hoy Ciudad Darío—, Nicaragua. Escritor, poeta y periodista, es considerado el padre del modernismo hispánico. Siguió la carrera diplomática, lo que le dio la posibilidad de viajar por Europa y América en calidad de cónsul y embajador de su país. En Chile forjó su cultura literaria y comenzó su carrera como escritor: allí publicó *Azul* (1888). Más tarde, entre 1893 y 1898, vivió en Buenos Aires —donde trabajó para el diario *La Nación* y se codeó con el mundillo literario local. Al país le dedicó *Canto a la Argentina y otros poemas* (1914), siguiendo el modelo del Walt Whitman de *Canto a mí mismo*. Si bien su obra poética fue más difundida que su prosa, fue un precursor de la crónica periodística y escribió una gran cantidad de relatos. En 1915 regresó a Nicaragua, donde murió un año después. Otras obras: *Cantos de vida y esperanza, El canto errante*.

Franz Kafka (1883-1924) es, sin duda, uno de los escritores cuya vida y obra más discusiones y debates han generado, y de los que más ha influido en la narrativa del siglo xx. Nació en Praga, estudió Derecho y trabajó en una empresa de seguros. Desde pequeño soportó una relación tortuosa con su padre, a la que se le sumó el hambre y la pobreza: sobre esta base concibió algunos de los libros más inquietantes de la literatura universal. El conocimiento de sus obras —*Un artista del hambre, El castillo, El proceso, La metamorfosis*— se lo debemos a su amigo Max Brod que, como se sabe, desoyó los deseos de Kafka de incinerarlas. Todas ellas fueron publicadas, entonces, luego de la muerte del escritor, a causa de la tuberculosis, a los 41 años.

Baldomero Lillo (1867-1923) nació en Chile, en la ciudad minera de Lota, y es considerado uno de los maestros del cuento de su país. Su padre fue capataz —jefe de cuadrilla— en las minas de carbón, y Lillo abandonó muy pronto los estudios para ingresar como dependiente en una de las pulperías de la compañía carbonífera donde él trabajaba. En 1895 se trasladó a Coronel, donde fue jefe de otra pulpería y, en sus ratos libres, trabó contacto con la literatura. Tres años después, en Santiago, consiguió un puesto en la Universidad de Chile gracias a la influencia de su hermano, que era profesor. Autodidacta, su debut literario llegó en 1903 cuando ganó un concurso organizado por la *Revista Católica*. Poco después apareció su primer libro de cuentos, *Sub-terra*, que retrata el ambiente del opresivo mundo de las minas de carbón. Más tarde publicó *Sub-sole* (1907), donde se dedicó a describir la vida de los trabajadores rurales. Su obra se cierra con los fragmentos de una novela inconclusa inspirada por la masacre de Iquique de 1907. En 1912 muere su esposa, y Lillo queda a cargo de sus cuatro hijos. Una tuberculosis pulmonar crónica lo llevaría a la muerte.

Jack London (1876-1916) suele ser motivo de frecuentes equivocaciones: entre ellas, tal vez la más común sea la de catalogar sus obras —plagadas de vitalismo y fatalidad— como literatura para jóvenes, pretendiendo así restarle un mérito que está fuera de discusión. Nació en San Francisco y fue amante de las aventuras marítimas y el alcohol. A los 21 años se embarcó hacia Alaska, atraído por la «fiebre del oro», y volvió desilusionado y pobre, aunque cargado de historias y decidido a escribirlas. El éxito llegó con la publicación de *El llamado de la selva* y desde ese momento se convirtió en el escritor más leído de los Estados Unidos. Para entonces conocía bien la obra de los autores que marcarían su pensamiento: Darwin, Marx, Nietzsche. Algunos de sus libros —*Cuentos de los mares del sur, La fuerza de los fuertes, Amor a la vida y otros relatos*— contienen relatos de una fiereza imborrable: «El hijo del lobo», «El burlado», «El ingenio de Porportuk». Murió devastado por la bebida, a los 40 años.

Joaquim Maria Machado de Assis (1839-1908) nació en Río de Janeiro, hijo de un pintor mulato descendiente de esclavos libertos y de una lavandera portuguesa. A pesar de que el destino parecía haberse ensañado con él (a su indigencia se sumó pronto la muerte de sus padres, una incipiente tartamudez y la epilepsia), y de no haber recibido ningún tipo de educación formal, aprendió francés, inglés y alemán —tradujo a Victor Hugo y a Poe— y se convirtió en uno de los intelectuales más destacados de la historia del Brasil. Colaboró en periódicos como cronista, cuentista y crítico literario, y publicó su primer libro en 1864: los poemas de *Crisálidas*. Ingresó en el Ministerio de Agricultura, hizo carrera y llegó a jubilarse en el cargo de director del Ministerio de Transportes y Obras Públicas. Denominado «padre del realismo», fundó la Academia Brasileña de Letras y la presidió hasta su muerte. Entre su vasta obra se destacan *Memorias póstumas de Blas Cubas, Quincas Borba, Don Casmurro, Memorial de Aires* y las recopilaciones de cuentos *Papéis Avulsos, Várias Histórias y Relíquias da Casa Velha*.

Katherine Mansfield (1888-1923) nació en Wellington, Nueva Zelanda. Sufrió de tuberculosis y murió muy joven. Como Kafka, pidió que los escritos que dejaba fueran quemados, y que se publicara de ella, de manera póstuma, lo menos posible. Todas órdenes que fueron debidamente ignoradas por su esposo, el crítico literario John Middleton Murry. Mansfield había publicado tres libros de relatos: *En una pensión alemana, Dicha y La fiesta en el jardín*. Luego de su muerte vieron la publicación el resto de sus papeles: reseñas, poemas, diarios íntimos. Su obra fue uno de los pilares del modernismo europeo, y entre otros devotos de su narrativa, la propia Virginia Woolf confesó que la suya era «la única escritura que le provocaba celos».

Guy de Maupassant (1850-1893) fue un escritor extraordinariamente prolífico. Discípulo de Flaubert, había nacido en Francia y comenzó a escribir recién a los 30 años, pese a lo cual publicó más de veinte tomos de cuentos y novelas. Su debut literario lo marcó el relato «Bola de sebo», aparecido en el volumen *Las veladas de Médan,* suerte de manifiesto del naturalismo que reunía cuentos de guerra de diversos escritores —dirigidos por Émile Zola. El éxito obtenido con su obra le permitió vivir de la literatura, rodeado de lujos, y poseer una inagotable cohorte de amantes. Algunos de sus libros más conocidos son *El Horla y La casa Tellier.* Considerado por Horacio Quiroga como uno de los tres grandes maestros del cuento moderno —junto a Chéjov y Poe—, enloqueció en 1891 y murió internado en una clínica psiquiátrica. Antes había intentado abrirse la garganta, dos veces y sin éxito, con un cortaplumas.

O. Henry (1862-1910) fue el seudónimo que William Sydney Porter eligió para nacer de nuevo. La primera vez lo había hecho en Carolina del Norte, Estados Unidos. La segunda, entonces, fue al salir de la cárcel, luego de ser acusado de desfalco por el Banco Nacional de Austin y recibir una condena a cinco años de prisión. Empezó a escribir mientras purgaba la pena, para mantener a su hija, y en poco tiempo sus cuentos se hicieron famosos. Cuando salió de la cárcel, ya rebautizado, comenzó una prolífica carrera que atestiguan más de trescientos relatos, la mayoría de una asombrosa calidad. Dentro de sus cuentos más admirados, al margen del que presentamos, citaremos «El regalo de los Reyes Magos», «La habitación amueblada», «El policía y el himno». Nunca logró superar sus problemas económicos ni su adicción a la bebida, y murió de cirrosis en Nueva York, a los 47 años.

Edgar Allan Poe (1809-1849), el autor que más pesadillas ha instalado en las noches de los lectores, fue un notable poseedor de las virtudes del genio, la inteligencia y la voluntad, todo lo que lo convirtió en uno de los escritores faro de la literatura moderna. Nació en Boston, Estados Unidos, y llevó una vida llena de dificultades económicas y problemas sentimentales. Es autor de poemas, cuentos y relatos memorables como «Las aventuras de Arthur Gordon Pym», «El escarabajo de oro», «La carta robada», «El pozo y el péndulo» y «El cuervo». Como apuntaran Jorge Luis Borges y Adolfo Bioy Casares, Poe «inventó el género policial y renovó el género fantástico». Murió en un hospital de Baltimore, sufriendo un *delirium tremens*, a los 40 años. Las ediciones de sus obras —Julio Cortázar tradujo sus cuentos al castellano— continúan multiplicándose hasta hoy.

Saki (1870-1916) es el seudónimo con el que Hector Hugh Munro firmaba sus escritos. Había nacido en Birmania y, al quedar huérfano, fue criado por una familia inglesa. Maestro de la narración breve, donde entran en escena el suspenso y el terror manejados con destreza de cirujano, sus libros recién comienzan hoy a obtener el reconocimiento que se merecen. Borges recopiló parte de su obra y Rodolfo Walsh, otro escritor que conocía de autores extravagantes, opinó sobre el cuento que lleva por título «Sredni Vashtar»: «Es uno de los relatos más inquietantes con que cuenta la literatura fantástica». Al estallar la Primera Guerra

Mundial, Saki se alistó en el ejército y obtuvo el grado de sargento. Se cuenta que lo mató el disparo certero de un francotirador.

Marcel Schwob (1867-1905) nació en Chaville, Francia. Su padre era dueño de un periódico en la ciudad de Nantes, y en sus páginas Schwob publicó su primer escrito (tenía once años): la reseña bibliográfica de un libro de Julio Verne. En su adolescencia fue amigo de Léon Daudet y Paul Claudel, asistió al curso de lingüística que dictaba Ferdinand de Saussure y llegó a obtener un doctorado en filología clásica y lenguas orientales. Su obra —en la que se imbrican erudición y experiencia vital— fue menospreciada hasta bien entrado el siglo XX. Se lo suele asociar a la corriente del simbolismo, y a nombres como Mallarmé, Gide y Jarry (quien le dedicó *Ubú Rey*). Entre 1888 y 1897 publicó sus libros más importantes: *Corazón doble, El rey de la máscara de oro, El libro de Monelle, La cruzada de los niños,* y *Vidas imaginarias,* volumen que —se repite hasta el hartazgo— Borges señaló como el punto de partida de su propia narrativa.

Henryk Sienkiewicz (1846-1916) fue hijo de terratenientes polacos, y se formó en la Universidad de Varsovia. En 1870 comenzó su carrera periodística, que lo llevó a viajar a los Estados Unidos como enviado especial por un par de años. De regreso a su país, fue designado director del periódico conservador *Slowo*. Fue entonces cuando comenzó a escribir la trilogía que aborda la lucha polaca frente a las invasiones rusas en el siglo XVII, la que le daría popularidad como narrador

—trilogía conformada por *A sangre y fuego, El diluvio* y *Un héroe polaco*. Su obra más célebre es, sin duda, la novela *¿Quo Vadis?*, estudio de la sociedad romana en tiempos de Nerón llevada al cine en 1951 —la película ostenta el récord de cantidad de disfraces utilizados en un filme: treinta y dos mil. Los méritos de sus relatos son tan destacables como desconocidos por la mayoría de los lectores: el que se presenta aquí, «Sachem», es de 1889, y fue rescatado por Abelardo Castillo en una de sus revistas literarias. Esta es la primera vez que se traduce al castellano actual. Sienkiewicz recibió el Premio Nobel de Literatura en 1905, y murió en Suiza en 1916.

Frank R. Stockton (1834-1902) nació en Filadelfia, Estados Unidos. Fue el séptimo de trece hijos de un importante pastor metodista que intentó, por todos los medios, que estudiara medicina y abandonara la idea de convertirse en escritor. Hasta la muerte de su padre entonces, en 1860, Stockton no logró hacer ni una cosa ni la otra: en cambio, se dedicó a la talla de madera. En 1867 publicó la fábula fantástica «Ting-a-Ling» en la revista para jóvenes *Riverside*, y motivado por el éxito obtenido dio comienzo a su carrera periodística y literaria. Trabajó como editor en las más prestigiosas revistas infantiles de la época, hasta que se vio forzado a renunciar debido a serios problemas en la vista que le obligaron a dictar muchas de sus historias, recogidas en veintitrés tomos. «¿La dama o el tigre?» (1882) es su relato más famoso. Stockton murió en 1902 en Washington: Mark Twain recuerda, en uno de los capítulos de su autobiografía, los funerales en su honor.

Mark Twain (1835-1910) es el *nom de plume* del escritor estadounidense Samuel Clemens, nacido en Missouri, Estados Unidos. Pasó su infancia a orillas del río Mississippi y trabajó como tipógrafo y ayudante de navegación, oficio del que surgió su seudónimo: «Twain» era el grito que se utilizaba en el río para marcar las dos brazas de profundidad, calado necesario para una buena navegación. Luchó en la Guerra de Secesión, fue minero y periodista; el escritor Francis Bret Harte, director de un periódico en San Francisco, lo animó a dedicarse a la literatura. No se equivocó: el primer éxito literario le llegó en 1865, con la publicación del cuento «La famosa rana saltarina del condado de Calaveras». Después escribió *Las aventuras de Tom Sawyer* y *Las aventuras de Huckleberry Finn,* basadas en recuerdos de la infancia y adolescencia. En su obra hizo gala de un gran sentido del humor, y le dio aire fresco a la literatura de su tiempo a través del uso fluido de dialectos (*slang*) locales.